A REVOLUÇÃO DOS BICHOS

George Orwell
A REVOLUÇÃO DOS BICHOS

tradução
LUISA GEISLER

São Paulo, 2021

A revolução dos bichos
Animal Farm

Copyright © 2021 by Novo Século Editora Ltda.

EDITOR: Luiz Vasconcelos
COORDENAÇÃO EDITORIAL: João Paulo Putini
TRADUÇÃO: Luisa Geisler
PREPARAÇÃO: Simone Habel
REVISÃO: Daniela Georgeto | Equipe Novo Século
DIAGRAMAÇÃO: João Paulo Putini
CAPA: Paula Cruz

Texto de acordo com as normas do Novo Acordo Ortográfico da Língua Portuguesa (1990), em vigor desde 1º de janeiro de 2009.

Dados Internacionais de Catalogação na Publicação (CIP)

Orwell, George, 1903-1950
A revolução dos bichos
George Orwell ; tradução de Luisa Geisler.
Barueri, SP: Novo Século Editora, 2021.

Título original: Animal farm

1. Ficção inglesa I. Título II. Geisler, Luisa

20-4335   CDD 823

Índice para catálogo sistemático:
1. Ficção inglesa 823

Alameda Araguaia, 2190 – Bloco A – 11º andar – Conjunto 1111
CEP 06455-000 – Alphaville Industrial, Barueri – SP – Brasil
Tel.: (11) 3699-7107 | Fax: (11) 3699-7323
www.gruponovoseculo.com.br | atendimento@gruponovoseculo.com.br

CAPÍTULO 1

Sr. Jones, dono da Fazenda do Solar, trancou os galinheiros para a noite, mas estava bêbado demais para se lembrar de fechar as vigias. Sob o bruxulear de um lado para o outro do círculo de luz da lanterna, ele se arrastou trôpego pelo pátio e, na porta dos fundos, tirou as botinas aos chutes, serviu um último copo de cerveja do barril que havia na copa e tomou seu rumo para a cama, onde sra. Jones já roncava.

Assim que a luz no quarto apagou, houve agito e alvoroço em todos os galpões da granja. Durante o dia, circularam boatos de que o velho Major, o porco de exposição, tivera um sonho estranho na noite anterior e queria comunicar aos outros animais. Concordou-se que todos deveriam se encontrar no celeiro assim que sr. Jones estivesse fora do caminho. Velho Major (ele era chamado assim, apesar de apresentado em concursos como "Bonitão de Willingdon") tinha tão alto conceito na granja que todos se dispunham a perder uma hora de sono para ouvir o que ele tinha a dizer.

Ao fundo do celeiro, em uma espécie de área erguida, Major já estava abrigado na cama de palha, sob um lampião pendurado em uma viga. Ele tinha doze anos de idade e ficara mais entroncado nos últimos tempos, mas ainda era um porco de aparência majestosa, com ares sábios e benevolentes, apesar de nunca terem tirado suas presas. Em seguida, os outros animais começaram a entrar e se aconchegar, cada um de seu jeito e formato. Primeiro entraram os três cães — Branca, Lulu e Cata-vento — e então os porcos, que se sentaram na palha, bem na frente da elevação. As galinhas se empoleiraram nos peitoris das janelas, os pombos subiram para os caibros do telhado, as ovelhas e vacas se deitaram atrás dos porcos e começaram a ruminar. Os dois cavalos de tração — Sansão e Quitéria — entraram juntos, andando muito devagar e pousando seus vastos cascos peludos com grande cuidado, para ter certeza de que não havia nenhum animal pequeno escondido pela palha. Quitéria era uma égua corpulenta e matrona chegando à metade da vida, que nunca havia recuperado bem a forma física depois do quarto potro. Sansão era um animal gigantesco, quase um metro e noventa de altura, com a força de dois cavalos comuns juntos. Uma listra branca até o focinho lhe dava uma aparência um pouco idiota, e de fato ele não era dos mais brilhantes, mas era respeitado por todos por sua firmeza de caráter e capacidade tremenda de trabalho. Depois dos cavalos, vieram Maricota, a cabra branca, e Benjamim, o burro. Benjamim era o animal mais velho e de pior temperamento da fazenda. Era raro que falasse e, quando falava, em geral era para fazer uma observação cínica — por exemplo, ele diria que Deus lhe havia dado um rabo para espantar as moscas, mas que ele preferia não ter rabo nem moscas. Sozinho entre os animais da fazenda, ele nunca ria. Se perguntassem por quê, ele diria que não via nada de engraçado. No entanto, sem admitir abertamente, ele era devotado a Sansão; os dois em geral passavam os domingos juntos no potreiro atrás do pomar, pastando um ao lado do outro sem falar nada.

    Os dois cavalos mal acabaram de se ajeitar quando uma ninhada de patinhos, que haviam perdido a mãe, enfileirou-se celeiro adentro, piando com fragilidade e vagando de um lado para o outro até encontrar um lugar onde não fossem pisoteados. Quitéria criou uma espécie de muro ao redor deles com a grande pata dianteira, e os patinhos se aninharam dentro da fortaleza e pegaram no sono de imediato. No último momento, Mimosa — a bela égua branca e tola que puxava a charrete de sr. Jones — entrou com passinhos graciosos, mastigando um torrão de açúcar. Ela tomou um lugar perto da frente e começou a menear a crina branca para os lados, esperando chamar atenção para os laços vermelhos trançados que a enfeitavam. Por último, chegou a gata, que buscou nos arredores, como de costume, o lugar mais quente, e enfim ela se enfiou entre Sansão e Quitéria; ali, ela ronronaria com contentamento durante o discurso de Major, sem ouvir uma palavra do que ele dizia.

Todos os animais agora estavam presentes, exceto Moisés, o corvo domesticado, que dormia em um poleiro junto da porta dos fundos. Quando Major viu que todos tinham se acomodado e esperavam com atenção, ele limpou a garganta e começou:

— Camaradas, vocês já ouviram a respeito do sonho estranho que tive na noite passada. Mas chegarei ao sonho mais tarde. Tenho outra coisa para dizer antes. Eu não creio, camaradas, que permanecerei entre vocês por muitos meses mais e, antes de partir, sinto que é meu dever passar a vocês a sabedoria que conquistei. Tive uma vida longa, tive muito tempo para pensar, aqui, deitado a sós em minha pocilga, e creio poder dizer que entendo a natureza da vida nesta terra tão bem quanto qualquer outro animal agora vivo. É disso que desejo lhes falar.

"Agora, camaradas, qual é a natureza desta nossa vida? Encaremos os fatos: nossas vidas são infelizes, trabalhosas e curtas. Nascemos, recebemos o mínimo de alimento necessário para manter o sangue circulando em nossas veias, e aqueles de nós que podem são forçados a trabalhar até o último átomo de força; e no próprio instante que nossa utilidade chega a um fim, somos sacrificados com crueldade pavorosa. Nenhum animal na Inglaterra sabe o significado da felicidade ou lazer depois de completar um ano de idade. Nenhum animal na Inglaterra é livre. A vida de um animal é miséria e escravidão; esta é a pura verdade.

"Mas seria isso apenas parte da ordem da natureza? Seria porque esta terra é tão pobre que não pode oferecer uma vida decente àqueles que nela habitam? Não, camaradas, mil vezes não! O solo da Inglaterra é fértil, o clima é bom, e ela é capaz de prover comida em abundância para um número enormemente maior de animais do que existe agora. Esta fazenda nossa sozinha proveria para uma dúzia de cavalos, vinte vacas, centenas de ovelhas... E todos eles vivendo em conforto e dignidade que agora estão quase além de nossa imaginação. Por que, então, nós continuamos nessa condição miserável? Porque quase todos os frutos de nosso trabalho são roubados de nós por seres humanos. Eis aí, camaradas, a resposta de todos os nossos problemas. Está reunida em uma palavra só: Homem. O Homem é o único inimigo real que temos. Removam o Homem da equação, e a causa principal da fome e sobrecarga de trabalho estará abolida para sempre.

"O Homem é a única criatura que consome sem produzir. Ele não dá leite, não põe ovos, ele é fraco demais para puxar arado, ele não corre rápido o suficiente para pegar coelhos. Ainda assim, é o senhor de todos os animais. Ele os coloca para trabalhar, ele lhes devolve o mínimo possível para evitar que morram de fome, e o resto ele guarda para si mesmo. Nosso trabalho prepara o solo, nosso esterco o fertiliza, e ainda assim não há um de nós que tenha mais do que a própria pele como posse. Vocês, vacas que vejo na minha frente, quantos milhares de galões de leite já deram ao longo deste ano apenas? E o que aconteceu com aquele leite que deveria estar fortalecendo bezerros robustos? Cada gota do leite foi garganta abaixo dos nossos inimigos. E vocês, galinhas, quantos ovos puseram este ano, e quantos desses ovos chocaram e viraram pintinhos? Todos os outros foram para o mercado, trazer dinheiro para Jones e seus homens. E você, Quitéria, onde estão aqueles potros que você teve, que deveriam ser o apoio e prazer da sua velhice? Um por um vendido com um ano de idade... Você nunca verá nenhum deles de novo. Em gratidão por seus filhotes e todo o seu trabalho no campo, o que você ganhou além de suas meras rações e uma baia?

"E mesmo essas vidas miseráveis que levamos não podem nem chegar ao fim natural. Eu mesmo não me queixo, pois sou um dos sortudos. Tenho doze anos de idade e tive mais de quatrocentos filhos. Assim é a vida natural de um barrão. Mas nenhum animal escapa ao cruel cutelo no fim. Vocês, jovens leitões sentados à minha frente, cada um de vocês gritará até perder a vida no cepo daqui, no máximo daqui a um ano. Todos nós devemos chegar a esse horror... Vacas, porcos, galinhas, ovelhas, todos. Nem sequer cavalos e cães encontram um destino melhor. Você, Sansão, no mesmo dia em que esses seus excelentes músculos perderem seu poder, Jones o mandará para o carniceiro, que cortará sua garganta e o ferverá para os cães. Quanto aos cachorros, quando ficarem velhos e desdentados, Jones amarrará um tijolo ao redor dos seus pescoços e os afogará no lago mais próximo.

"Não fica, então, transparente como vidro, camaradas, que todos os males dessa nossa vida são causados pela tirania de seres humanos? Basta se livrar do Homem, e o fruto de nosso trabalho seria apenas nosso. Quase que da noite para o dia, nós seríamos ricos e livres. O que, então, devemos fazer? Ora, trabalhar noite e dia, de corpo e alma, pela queda da raça humana! Essa é minha mensagem a vocês, camaradas: rebelião! Eu não sei quando chegará, pode ser em uma semana ou em cem anos, mas eu sei, com a mesma certeza de que vejo a palha sob meus pés, que mais cedo ou mais tarde a justiça será feita. Mantenham os olhos nisso, camaradas, ao longo do curto resto de suas vidas! E, acima de tudo, passem essa minha mensagem a todos aqueles que vierem depois de vocês, para que gerações futuras levem a batalha em frente até que seja vitoriosa.

"E lembrem-se, camaradas: suas resoluções nunca devem fraquejar. Nenhum argumento pode afastá-los. Nunca ouçam quando disserem que o Homem e os animais têm um interesse em comum, que a prosperidade de um é a prosperidade do outro. É tudo mentira. O Homem não busca interesses senão os dele mesmo. E entre nós, animais, que haja uma unidade perfeita, uma camaradagem perfeita na luta. Todos os homens são inimigos. Todos os animais são camaradas."

Nesse momento, houve um rebuliço tremendo. Enquanto Major falava, quatro ratos grandes haviam saído de seus buracos e estavam sentados em suas traseiras, ouvindo-o. Os cães os haviam visto de súbito, e foi apenas por dispararem rápido para os buracos que os ratos salvaram suas vidas. Major levantou a pata, pedindo silêncio.

— Camaradas — ele disse —, aqui há uma questão que deve ser esclarecida. As criaturas selvagens, como ratos e coelhos, são nossos amigos ou inimigos? Vamos votar. Eu proponho esta questão à assembleia: ratos são camaradas? A votação aconteceu no ato, e ficou concordado, por uma maioria esmagadora, que ratos eram camaradas. Houve apenas quatro dissidentes: os três cães e a gata, que se descobriu haver votado dos dois lados. Major continuou:

— Tenho um pouco mais a dizer. Repito apenas: lembrem-se sempre de seu dever de inimizade para com o Homem e todas as suas coisas. O que quer que exista em duas patas é um inimigo. O que quer que exista em quatro patas, ou tiver asas, é um amigo. E lembrem-se sempre de que, ao lutar contra o Homem, nós não podemos nos parecer com ele. Mesmo quando vocês o tiverem dominado, não adotem seus vícios. Nenhum animal deve viver em uma casa, ou dormir em uma cama, ou usar roupas, ou beber álcool, ou fumar tabaco, ou tocar dinheiro, ou se envolver em comércio. Todos os hábitos do Homem são maus. E, acima de tudo, jamais um animal pode tiranizar seu próprio tipo. Fraco ou forte, inteligente ou simplório, somos todos irmãos. Nenhum animal pode matar qualquer outro animal. Todos os animais são iguais.

"E agora, camaradas, contarei a vocês a respeito de meu sonho da noite passada. Não sei o significado dele. Foi um sonho sobre como será a Terra quando o Homem desaparecer. Mas ele lembrou algo de muito tempo antes, de que eu havia me esquecido. Muitos anos atrás, quando eu era um leitãozinho, minha mãe e as outras porcas costumavam cantar uma canção antiga, da qual apenas se lembravam da melodia e das primeiras três palavras. Conheci essa melodia na infância, mas a havia deixado na minha mente muito tempo atrás. Noite passada, no entanto, ela voltou a mim em meu sonho. E mais do que isso: a letra da canção também me veio, letras que tenho certeza de que foram cantadas por animais de outros tempos e se perderam na memória por gerações. Cantarei esta canção para vocês agora, camaradas. Estou velho, e minha voz é rouca, mas, uma vez que eu tiver ensinado a canção, vocês podem cantá-la melhor. Ela se chama 'Bichos da Inglaterra'."

Velho Major limpou a garganta e começou a cantar. Como havia dito, sua voz estava rouca, mas ele cantou bem o suficiente, e era uma canção viva, alguma coisa entre "Clementine" e "La Cucaracha". A letra era:

Bichos da Inglaterra e da Irlanda,
Bichos de todas as terras que se viu,
Escutem as marés alegres,
Do futuro dourado que surgiu.

Mais cedo ou mais tarde, o dia a vir,
O homem tirano vamos derrubar,
Os campos ingleses e seus frutos a fulgir,
E neles apenas animais vão caminhar.

Sumirão as argolas de nossas fuças,
Os arreios sairão do lombo,
Freio e espora enferrujando eternos,
Chicotes cruéis despencam com estrondo.

Riquezas além da imaginação,
Trigo e cevada, aveia e feno,
Trevo, pastagem e feijão,
Tudo a nós de nosso terreno.

Os campos ingleses vão brilhar,
As águas se purificando,
As brisas soprarão ainda mais doces
Com nossa liberdade chegando.

Por este dia, vamos todos lutar,
Mesmo se morrermos a tentar;
Vacas e cavalos, gansos e perus,
A liberdade vale tudo, apesar.

Bichos da Inglaterra e da Irlanda,
Bichos de todas as terras que se viu,
Escutem as marés alegres,
Do futuro dourado que surgiu.

O cantar desta canção deixou os animais na maior empolgação. Antes mesmo de o Major acabar, haviam começado a cantar a música sozinhos. Até mesmo os mais idiotas já haviam captado a melodia e parte dos versos, e os mais inteligentes, como porcos e cães, memorizaram a canção em poucos minutos. Então, depois de algumas tentativas preliminares, a granja inteira implodiu em "Bichos da Inglaterra" em uníssono tremendo. As vacas a mugiam, os cães a latiam, as ovelhas a baliam, os cavalos a relinchavam, os patos a grasnavam. Estavam tão encantados com a canção que a emendaram cinco vezes consecutivas e poderiam ter continuado cantando a noite inteira se não houvesse sido interrompida.

Infelizmente, a balbúrdia despertou sr. Jones, que saltou da cama com a certeza de que havia uma raposa no pátio. Ele buscou a arma que sempre ficava em um canto do quarto e lançou um tiro de chumbo grosso na escuridão. O chumbo se encravou na parede do celeiro, e o encontro se interrompeu às pressas. Todos fugiram para seus lugares de descanso. Os pássaros subiram aos seus poleiros, o gado se aquietou na palha, e a granja inteira adormeceu em um momento.

CAPÍTULO 2

Três noites depois, o velho Major faleceu de forma pacífica no sono. O corpo foi enterrado na beira do pomar.

Era começo de março. Ao longo dos três meses seguintes, houve muita atividade secreta. O discurso de Major impactara os animais mais inteligentes com uma forma totalmente diferente de ver a vida. Eles não sabiam quando a Rebelião profetizada pelo Major aconteceria, não tinham motivo para pensar que seria no período de suas próprias vidas, mas viam com clareza que era dever deles se prepararem para ela. Os trabalhos de ensinar e organizar os outros recaiu, com naturalidade, aos porcos, em geral reconhecidos como os animais mais inteligentes. Dois jovens barrões se destacavam entre os porcos: Bola-de-Neve e Napoleão, os quais sr. Jones estava criando para venda. Napoleão era um cachaço Berkshire de ares ferozes, o único Berkshire na granja, não falava muito, mas tinha a reputação de conseguir o que queria. Bola-de-Neve era um porco mais vivaz que Napoleão, falava mais rápido e com mais invenção, mas não era visto com a mesma profundidade de caráter. Todos os outros porcos machos na propriedade eram para engorda. O mais conhecido entre eles era um pequeno porco gordo chamado Garganta, com bochechas muito redondas, olhos ágeis, movimentos leves e uma voz aguda. Ele falava com brilhantismo e, quando discutia algo difícil, tinha uma forma de saltitar de um lado para o outro, balançando o rabinho, o que de alguma forma era bastante persuasivo. Diziam que Garganta conseguia tornar branco em preto.

Esses três haviam elaborado os ensinamentos do Major em um sistema de pensamento completo, o qual nomearam Animalismo. Diversas noites por semana, depois de sr. Jones pegar no sono, eles tinham encontros secretos no celeiro e expunham os princípios do Animalismo aos outros. No começo, eles depararam com muita burrice e apatia. Alguns dos animais falavam do dever de lealdade ao sr. Jones, a quem se referiam como "o Mestre", ou faziam observações elementares, como:

— O sr. Jones nos dá de comer. Se ele partisse, nós morreríamos de fome.

Outros faziam perguntas como:

— Por que nós nos importaríamos com o que nos acontece depois que morremos?

Ou:

— Se essa Rebelião vai acontecer de qualquer forma, que diferença faz nos esforçarmos por ela ou não?

E os porcos tinham imensa dificuldade em fazê-los ver que esse era o espírito contrário ao Animalismo. As perguntas mais idiotas eram sempre feitas por Mimosa, a égua branca. A primeiríssima pergunta que fez a Bola-de-Neve foi:

— Mas vai haver açúcar depois da Rebelião?

— Não — disse Bola-de-Neve com firmeza. — Não temos como fazer açúcar na granja. Além disso, você não precisa de açúcar. Você vai ter toda a aveia e o feno que quiser.

— E eu ainda poderei usar laços de fita em minha crina? — perguntou Mimosa.

— Camarada — Bola-de-Neve disse —, esses laços aos quais é tão devotada são o distintivo da escravidão. Você não consegue entender que a liberdade vale mais do que laços de fita?

Mimosa concordou, mas não pareceu muito convencida.

Os porcos tinham uma dificuldade ainda maior para neutralizar as mentiras espalhadas por Moisés, o corvo doméstico. Moisés, que era o animal de estimação especial de sr. Jones, era um espião e um contador de lorotas, mas também era de boa conversa. Ele afirmava saber da existência de uma terra misteriosa chamada Montanha do Açúcar, à qual todos os animais iam quando morriam. Ela ficava em algum lugar do céu, um pouco distante horizonte adentro, Moisés dizia. Na Montanha do Açúcar, todos os dias da semana eram domingo, o ano inteiro era época de trevo, torrões de açúcar e bolinhos de linhaça davam em arbustos. Os animais odiavam Moisés, porque ele contava histórias e não trabalhava, mas alguns deles acreditavam na Montanha do Açúcar, e os porcos tinham que discutir muito para persuadi-los de que tal lugar não existia.

Os discípulos mais fiéis eram os cavalos de tração, Sansão e Quitéria. Esses dois tinham muita dificuldade em pensar em qualquer coisa sozinhos, mas, uma vez que aceitaram os porcos como professores, absorviam tudo o que diziam e espalhavam para os outros animais com argumentos simples. Eles estavam sempre presentes nos encontros secretos no celeiro e se destacavam na canção "Bichos da Inglaterra", com a qual os encontros sempre terminavam.

Por casualidade, a Rebelião ocorreu muito mais cedo e bem mais facilmente do que qualquer um esperava. Nos anos anteriores, sr. Jones havia sido um fazendeiro capaz, apesar de duro, mas recentemente havia caído em ruína. Abatido depois de perder dinheiro em uma ação judicial, ele caíra no hábito de beber mais do que devia. Em algumas ocasiões, passava dias inteiros recostado na cadeira de braços na cozinha, lendo jornais, bebendo, e, em outras, alimentando Moisés com migalhas de pão mergulhadas em cerveja. Os funcionários eram indolentes e desonestos, os campos estavam cheios de ervas daninhas, os telhados precisavam de reparos, os arbustos cresciam de qualquer jeito e os animais morriam de fome.

Junho chegou, e o feno estava quase pronto para o corte. Na véspera do solstício, que era sábado, sr. Jones foi para Willingdon e ficou tão bêbado no pub Red Lion que não voltou até o meio-dia de domingo. Os homens haviam ordenhado as vacas no começo da manhã e então partiram para caçar coelhos, sem se incomodar em dar de comer aos animais. Quando sr. Jones voltou, ele de imediato foi dormir no sofá da sala de estar com o jornal *News of the World* sobre o rosto, então, quando a noite chegou, os animais ainda estavam sem comida. Uma das vacas arrebentou a porta do galpão a chifradas, e todos os animais correram para se saciar nos silos. Foi naquele momento que sr. Jones acordou. No instante seguinte, ele e seus quatro homens estavam no galpão com laços nas mãos, atacando em todas as direções. Isso foi mais do que os animais famintos puderam aguentar. De vontade própria, apesar de nada do tipo ter sido planejado, eles se lançaram contra os algozes. De súbito, Jones e seus homens estavam sendo marrados e escoiceados em todos os lados. A situação estava muito fora de controle. Eles nunca haviam visto animais se portando daquela forma antes, e a súbita revolta de criaturas que estavam acostumados a açoitar e maltratar como quisessem os assustou quase a ponto de enlouquecerem. Depois de apenas um momento ou dois, desistiram de tentar se defender e fugiram. Um minuto depois, todos os cinco estavam em fuga total pela trilha que levava à estrada principal, com os animais em triunfo a persegui-los.

Sra. Jones olhou pela janela do quarto, viu o que acontecia, enfiou algumas posses em uma bolsa de pano e escapuliu da fazenda por outra saída. Moisés saltou do poleiro e voou atrás dela, grasnando. Enquanto isso, os animais perseguiram Jones e seus homens até a estrada e bateram a porteira de cinco barras. E, assim, quase antes de saberem o que estava acontecendo, a Rebelião fora levada a cabo com sucesso: Jones estava expulso, e a Fazenda do Solar era deles.

Nos poucos primeiros minutos, os animais mal conseguiam acreditar na sorte. O primeiro ato foi galopar em bando por todos os limites da quinta, para se certificarem de que nenhum ser humano estivesse escondido; então correram de volta para as casas da granja para arrancar os últimos traços do reino odioso de Jones. Quebraram a entrada do galpão dos arreios no fundo dos estábulos; freios, arreios de nariz, correntes para cachorro e os cutelos cruéis com os quais sr. Jones castrava porcos e cordeiros foram lançados poço abaixo. As rédeas, os cabrestos, os antolhos e os bornais degradantes foram lançados na fogueira que queimava no pátio. Assim como os laços. Todos os animais deram cambalhotas de alegria quando viram os chicotes pegando fogo. Bola-de-Neve também lançou nas chamas as fitas com as quais as crinas e caudas de cavalos costumavam ser decoradas em dias de feira.

— Fitas de laço — ele disse — deveriam ser vistas como roupas, que são as marcas de um ser humano. Todos os animais devem existir nus.

Quando Sansão ouviu isso, buscou o pequeno chapéu de palha que usava no verão para manter moscas fora das orelhas e o lançou no fogo com o resto.

Em pouquíssimo tempo, os animais haviam destruído tudo que os lembrava de sr. Jones. Napoleão então os guiou de volta para o celeiro e serviu uma ração dupla de milho para todos, com dois biscoitos para cada cão. Então cantaram "Bichos da Inglaterra" de cabo a rabo sete vezes seguidas e, depois disso, aquietaram-se para a noite e dormiram como nunca haviam dormido antes.

Eles acordaram no alvorecer, como de costume, e de súbito se lembraram da coisa gloriosa que havia acontecido; todos eles correram juntos para os pastos. Um pouco além, havia uma colina que permitia uma visão da maior parte da fazenda. Os animais se apressaram para o topo e miraram o horizonte sob a luz clara da manhã. Sim, era deles — tudo que os olhos tocavam era deles! No êxtase daquele pensamento, eles rolaram e rolaram, lançaram-se ao ar em grandes saltos de empolgação. Dançaram no orvalho, deram bocadas na doce grama do verão, arrancaram punhados da terra preta e farejaram seu perfume rico. Então, fizeram um passeio de inspeção da área inteira e analisaram com admiração atônita a lavoura, o campo de feno, o pomar, o açude, o arvoredo. Era como se nunca tivessem visto essas coisas antes, e mesmo agora eles mal conseguiam acreditar que tudo pertencia a eles.

Então retornaram às casas da fazenda e pararam, em silêncio, junto da entrada da casa-grande. Aquilo também lhes pertencia, mas tinham medo de entrar. Depois de um momento, no entanto, Bola-de-Neve e Napoleão forçaram a porta com os lombos e ombros, e os animais entraram enfileirados, caminhando com o máximo de cuidado por medo de estragar algo. Eles foram na ponta dos pés de quarto em quarto, com medo de falar além de um sussurro e contemplando com uma espécie de maravilhamento o luxo inacreditável, as camas com colchões de pena, os espelhos, o sofá de crina, o tapete de Bruxelas, a litografia da Rainha Vitória sobre a lareira da sala de estar. Estavam acabando de descer as escadas quando notaram que Mimosa não estava com eles. Ao voltar, os outros se deram conta de que ela havia ficado para trás no quarto principal. Pegara uma fita de laço azul da penteadeira de sra. Jones e a segurava na altura da espádua, admirando-se no espelho de uma forma boba. Os outros a repreenderam rispidamente e saíram. Alguns presuntos, pendurados na cozinha, foram levados para enterro, e o barril de cerveja na copa foi arrebentado com um coice da pata de Sansão — além disso, nada na casa foi tocado. Uma resolução unânime foi passada de imediato de que a casa deveria ser preservada como um museu. Todos concordaram que nenhum animal poderia viver ali.

Os animais comeram o café da manhã, e então Bola-de-Neve e Napoleão os reuniu de novo.

— Camaradas — disse Bola-de-Neve —, são seis e meia e temos um dia longo pela frente. Hoje, começamos a colheita do feno. Mas há outra questão que precisamos resolver antes.

Os porcos agora revelaram que, durante os últimos três meses, eles haviam aprendido a ler e escrever de forma autodidata a partir de um velho livro escolar que pertencera aos filhos de sr. Jones e que foi jogado fora. Napoleão mandou buscar latas de tinta preta e branca e guiou todos até a porteira de cinco barras que dava na estrada principal. Então, Bola-de-Neve (que era o melhor na escrita) pegou um pincel entre as juntas da pata, apagou FAZENDA DO SOLAR da barra superior da porteira e, no lugar, pintou *FAZENDA DOS BICHOS*. Esse seria o nome da granja dali em diante. Depois disso, voltaram para as casas da propriedade, onde Bola-de-Neve e Napoleão mandaram buscar uma escada e ordenaram que a colocassem no fundo da parede do celeiro principal. Eles explicaram que, dados os seus estudos nos três últimos meses, os porcos haviam conseguido reduzir os princípios do Animalismo a Sete Mandamentos. Esses Sete Mandamentos agora estariam inscritos na parede; eles formariam uma lei inalterável a qual todos os animais na Fazenda dos Bichos deveriam viver a partir daquele momento. Com alguma dificuldade (pois não é fácil para um porco se equilibrar em uma escada), Bola-de-Neve subiu e se pôs a trabalhar, e Garganta, alguns degraus abaixo, segurava a lata de tinta. Os Mandamentos foram escritos em grandes letras brancas na parede alcatroada, legíveis a quase trinta metros de distância. Eles diziam:

OS SETE MANDAMENTOS
Tudo que andar sobre duas patas é inimigo.
Tudo que andar sobre quatro patas ou tiver asas é amigo.
Nenhum animal usará roupas.
Nenhum animal dormirá em uma cama.
Nenhum animal beberá álcool.
Nenhum animal matará outro animal.
Todos os animais são iguais.

Estava muito bem escrito, e, à exceção de "roupas", que estava escrito "ropas", e do fato de um dos "S" estar virado para o outro lado, a ortografia estava correta nas demais frases. Bola-de-Neve leu em voz alta para os outros. Todos os outros animais assentiram em concordância completa, e os mais inteligentes começaram de imediato a decorar os Mandamentos.

— Agora, camaradas — gritou Bola-de-Neve, largando o pincel —, ao campo de feno! É uma questão de honra fazer a colheita mais rápido do que Jones e seus homens conseguiam fazer.

Mas, nesse momento, as três vacas, que pareciam inquietas por algum tempo, soltaram um mugido alto. Elas não haviam sido ordenhadas nas últimas 24 horas, e suas tetas estavam prestes a explodir. Depois de pensar um pouco, os porcos mandaram buscar baldes e tiraram o leite das vacas com bastante sucesso, as patas se adaptando bem à tarefa. Logo havia cinco baldes de leite cremoso espumando, os quais muitos animais miravam com interesse considerável.

— O que vai acontecer com todo aquele leite? — questionou alguém.

— Jones costumava misturar um pouco na nossa ração — disse uma das galinhas.

— Deixem o leite pra lá, camaradas! — gritou Napoleão, colocando-se à frente dos baldes. — Isso será resolvido. A colheita é mais importante. Camarada Bola-de-Neve irá liderar. Eu seguirei em breve. Em frente, camaradas! O feno aguarda.

Então os animais marcharam para o campo de feno para começar a colheita e, quando voltaram à noite, notaram que o leite havia desaparecido.

CAPÍTULO 3

Como eles labutaram e suaram para conseguir o feno! Mas seus esforços foram premiados, pois a colheita foi um sucesso ainda maior do que o esperado.

Às vezes o trabalho era árduo — os implementos haviam sido planejados para seres humanos, e não para animais, e era uma grande desvantagem nenhum animal conseguir usar qualquer ferramenta que envolvesse ficar em pé nas patas traseiras. Mas os porcos eram tão inteligentes que conseguiam contornar todas as dificuldades. Quanto aos cavalos, eles conheciam cada centímetro do campo e, na verdade, entendiam de ceifar e raspar muito melhor do que Jones e seus homens jamais conseguiriam. Os porcos não trabalhavam de fato, mas dirigiam e supervisionavam os outros. Com o conhecimento superior, era natural que tomassem a liderança. Sansão e Quitéria se arreavam à ceifadeira ou à grade (não havia mais a necessidade de freios ou rédeas naquele momento, é claro) e pisavam com estabilidade de novo e de novo pelo pasto com um porco caminhando atrás e gritando: "Vamos lá, camarada!" e "Calma lá, camarada!", conforme a situação demandasse. E todos os animais, até o mais humilde, trabalharam para colher e juntar feno. Até mesmo os patos e as galinhas andaram de um lado para o outro debaixo do sol, carregando pequenos maços de feno nos bicos. No fim, demoraram dois dias a menos do que o que Jones e seus homens costumavam para terminar a colheita. Além disso, era a maior colheita que a fazenda já havia visto. Não houve desperdício algum; as galinhas e os patos, com olhos atentos, juntaram até o menor talo. E nenhum animal na fazenda havia roubado sequer uma bocada.

Ao longo daquele verão, o trabalho da fazenda funcionou como um relógio. Os animais estavam mais felizes do que haviam cogitado ser. Todas as bocadas de comida eram um prazer agudo, agora que era comida deles realmente, produzida por eles e para eles, e não racionada por um senhor de má vontade. Com os inúteis parasitas humanos tendo partido, havia mais para todos. Havia mais lazer também, por mais inexperientes que fossem os animais. Eles encontraram muitas dificuldades — por exemplo, mais no fim do ano, quando colheram os cereais, tiveram que pisá-los, à moda antiga, e soprar as cascas, já que a quinta não tinha debulhadoras —, mas os porcos, com sua perspicácia, e Sansão, com seus tremendos músculos, sempre as superavam. Sansão era admirado por todos. Ele havia sido um trabalhador esforçado no tempo de Jones, mas agora parecia mais ser três cavalos em vez de um; havia dias em que o trabalho inteiro da fazenda parecia descansar em seus ombros fortes. Da manhã à noite, ele estava empurrando e puxando, sempre na parte onde o trabalho era mais difícil. Ele combinou com um dos galos para que o chamasse pela manhã meia hora mais cedo do que os outros, e fazia um pouco de trabalho voluntário no que quer que precisasse de mais ajuda antes do dia de trabalho normal começar. Sua resposta para todos os problemas, todas as dificuldades, era: "Vou trabalhar mais!", que ele adotou como seu lema pessoal.

Mas todos trabalhavam segundo sua própria capacidade. As galinhas e os patos, por exemplo, economizaram cinco baldes de trigo na colheita apenas por juntar os grãos soltos. Ninguém roubava; ninguém resmungava pelas rações; as brigas, as provocações e o ciúme, que eram os traços normais da vida nos dias antigos, haviam quase desaparecido. Ninguém fazia corpo mole — ou quase ninguém. Era verdade, Mimosa não era boa em acordar pela manhã e tinha um jeitinho de deixar o trabalho cedo sob o argumento de que estava com uma pedra presa no casco. E o comportamento da gata era um pouco peculiar. Logo se notou que, quando havia trabalho a fazer, era impossível encontrá-la. Ela conseguia desaparecer por horas a fio e então ressurgir nas horas das refeições ou à noite, após o trabalho todo, como se nada houvesse acontecido. Mas ela sempre criava desculpas excelentes e ronronava com tanto afeto que era impossível não acreditar nas suas boas intenções. O velho Benjamim, o burro, parecia inalterado desde a Rebelião. Ele fazia seu trabalho da mesma forma lenta e obstinada como fizera no tempo de Jones, nunca se encolhendo do trabalho, mas nunca se oferecendo para mais. Não expressava opinião nenhuma a respeito da Rebelião e de seus resultados. Quando perguntavam se ele não estava mais feliz agora que Jones estava longe, ele respondia:

— Burros vivem muito tempo. Nenhum de vocês jamais viu um burro morto. — E os outros tinham que ficar contentes com essa resposta críptica.

Aos domingos, não havia trabalho. O café da manhã acontecia uma hora depois do normal e, depois dele, havia uma cerimônia que era repetida sem falta a cada semana. Primeiro vinha o hasteamento da bandeira. Bola-de-Neve havia encontrado uma velha toalha de mesa verde de sra. Jones no depósito e pintou de branco um casco e um chifre. Ela subia até o topo do mastro no pátio da casa toda manhã de domingo. A bandeira era verde, e Bola-de-Neve explicava que era para representar os campos verdes da Inglaterra, enquanto o casco e o chifre significavam, para o futuro, a República dos Animais que surgiria quando toda a raça humana fosse enfim derrubada. Depois do hastear da bandeira, todos os animais marchavam para dentro do grande celeiro para uma assembleia geral, que era conhecida como a Reunião. Ali, planejava-se o trabalho da semana seguinte, e as soluções eram apresentadas e debatidas. Eram sempre os porcos quem as sugeriam. Os outros animais entendiam como votar, mas nunca conseguiam pensar em soluções propriamente suas. Bola-de-Neve e Napoleão eram, de longe, os mais ativos nos debates. Porém, notava-se que aqueles dois nunca concordavam: sempre que um fazia uma sugestão, o outro com certeza se oporia. Mesmo quando se definiu — algo a que ninguém poderia propriamente se opor — que o terreno pequeno atrás do pomar seria separado para ser um local de repouso aos animais que já tinham trabalhado, houve um debate intempestivo a respeito da idade de aposentadoria ideal para cada classe de animal. A Reunião sempre acabava com o cantar de "Bichos da Inglaterra", e o resto da tarde era liberado para lazer.

    Os porcos haviam separado o depósito de ferramentas como o quartel-general. Ali, à noite, eles estudavam ferraria, carpintaria e outras formas necessárias de arte por meio de livros que haviam trazido da casa-grande. Bola-de--Neve também se ocupava em organizar os outros animais no que ele chamava de Comitês de Animais. Era incansável nisso. Formou o Comitê de Produção de Ovos, para as galinhas; a Liga das Caudas Limpas, para as vacas; o Comitê de Reeducação dos Camaradas Selvagens, cujo objetivo era domesticar ratos e coelhos; o Movimento Pela Lã Mais Branca, para as ovelhas; e vários outros, além de instituir aulas para ensinar a ler e escrever. Como um todo, esses projetos foram um fracasso. A tentativa de domar as criaturas selvagens, por exemplo, desmembrou-se quase de imediato. Elas continuaram a se portar como antes e, quando eram tratadas com generosidade, simplesmente tiravam vantagem disso. A gata se juntou ao Comitê de Reeducação e foi muito ativa nele por alguns dias. Ela foi vista um dia sentada em um telhado conversando com alguns pardais que estavam um pouquinho fora de seu alcance. Estava contando aos pássaros que todos os animais agora eram camaradas e que qualquer pardal que quisesse poderia vir e pousar em sua pata; mas eles mantiveram distância.

As aulas de leitura e escrita, no entanto, foram um grande sucesso. Na altura do outono, quase todos os animais na fazenda estavam alfabetizados em algum nível.

Quanto aos porcos, já sabiam ler e escrever com perfeição. Os cães aprenderam a ler bastante bem, mas não estavam interessados em ler qualquer coisa além dos Sete Mandamentos. Maricota, a cabra, conseguia ler um pouco melhor que os cães e, às vezes, lia pedaços de jornal que encontrava no lixo para os outros à noite. Benjamim conseguia ler com a mesma capacidade de qualquer porco, mas nunca exercitava a habilidade. Até onde sabia, não havia nada que valesse a pena ler, dizia ele. Quitéria aprendeu o alfabeto inteiro, mas não conseguia montar palavras. Sansão não ia além da letra D. Ele fazia riscos, formando A, B, C e D, na terra, com o casco imenso, e ficava parado encarando as letras, com as orelhas para trás, às vezes balançando o topete, tentando com toda a força lembrar o que vinha depois, mas nunca conseguindo. Em diversas ocasiões, de fato, ele aprendeu E, F, G, H, mas, quando ele aprendia, sempre se descobria em seguida que ele havia esquecido A, B, C e D. Enfim, ele decidiu se contentar com as quatro primeiras letras e costumava escrevê-las uma ou duas vezes por dia para refrescar a memória. Mimosa se negou a aprender qualquer letra além das seis na ordem que compunham seu nome. Ela ordenava pedaços de galhos com muita graça e então decorava as letras com uma florzinha ou outra e caminhava ao redor delas, admirando-as.

Nenhum dos outros animais na fazenda conseguia ir além da letra A. Também se descobriu que os animais mais estúpidos, como as ovelhas, as galinhas e os patos, eram incapazes de decorar os Sete Mandamentos. Depois de muito pensar, Bola-de-Neve declarou que os Sete Mandamentos poderiam, de fato, ser reduzidos a uma única máxima, que era: "Quatro patas, bom; duas patas, ruim". Isso, ele dizia, continha o princípio essencial do Animalismo. Quem quer que houvesse compreendido isso por inteiro estaria seguro de influências humanas. De início, os pássaros objetaram, já que parecia que eles também tinham duas patas, mas Bola-de-Neve provou que não era o caso.

— A asa de um pássaro, camaradas — ele disse —, é um órgão de propulsão, e não manipulação. Deveria, portanto, ser visto como uma perna. A marca distinta do homem é a MÃO, o instrumento com o qual ele causa todos os seus prejuízos.

Os pássaros não entendiam as palavras compridas de Bola-de-Neve, mas aceitaram a explicação, e todos os animais mais simplórios se puseram a trabalhar para decorar a máxima. "QUATRO PATAS, BOM; DUAS PATAS, RUIM" ficava inscrito na parede do fundo do celeiro, acima dos Sete Mandamentos e em letras ainda maiores. Quando haviam memorizado, as ovelhas criaram um afeto grande pela frase e, com frequência, ficavam deitadas no pasto e começavam a balir: "Quatro patas, bom; duas patas, ruim!" e seguiam assim por horas seguidas, sem cansar.

Napoleão não se interessava pelos comitês de Bola-de-Neve. Ele dizia que a educação dos jovens era mais importante do que qualquer coisa que pudesse ser feita por aqueles já adultos. Por casualidade, Lulu e Branca deram cria logo depois da colheita de feno, dando à luz um total de nove filhotinhos fortes. Assim que desmamaram, Napoleão os afastou das mães, dizendo que se responsabilizaria pela educação deles. Ele os levou para um sótão, ao qual só se podia chegar através de uma escada do depósito, e lá os manteve em tamanha reclusão que o resto da fazenda logo se esqueceu da existência deles.

O mistério do leite também logo se esclareceu. Era misturado todos os dias na comida dos porcos. As primeiras maçãs agora amadureciam, e a grama do pomar estava cheia de frutas que o vento derrubava dos seus galhos. Os animais haviam imaginado que, com certeza, aquilo seria compartilhado de forma igualitária; um dia, no entanto, veio a ordem de que todas as frutas derrubadas pelo vento seriam coletadas e trazidas ao depósito para uso dos porcos. Alguns dos outros animais resmungaram, mas de nada serviu. Todos os porcos estavam de completo acordo a essa altura, até mesmo Bola-de-Neve e Napoleão. Garganta foi enviado para dar as explicações necessárias aos outros.

— Camaradas! — ele gritou. — Vocês não imaginam, eu espero, que nós, porcos, estamos fazendo isso por um espírito de egoísmo e privilégio. Muitos de nós, na verdade, não gostamos de leite e de maçãs. Eu, particularmente, não gosto de nenhum dos dois. Nosso único objetivo em pegar esses itens é preservar nossa saúde. É cientificamente provado, camaradas, que leite e maçãs contêm substâncias absolutamente necessárias ao bem-estar de um porco. Nós, porcos, somos trabalhadores intelectuais. A administração e a organização de nossa granja dependem de nós. Dia e noite, nós supervisionamos o bem-estar de vocês. É pelo bem de todos que nós bebemos o leite e comemos as maçãs. Vocês sabem o que aconteceria se nós, porcos, fracassássemos com nosso dever? Jones voltaria! Sim, Jones voltaria! Com certeza, camaradas — gritou Garganta, quase como se implorasse, saltando de um lado para o outro e sacudindo o rabo —, com certeza, não há um entre vocês que quer ver o retorno de Jones.

Agora, se havia uma coisa da qual os animais tinham plena certeza era de que não queriam Jones de volta. Quando aquilo era colocado a eles sob aquela luz, eles não tinham nada mais a dizer. A importância de manter os porcos em boa saúde parecia óbvia demais. Então, concordou-se sem discussões maiores que o leite e as maçãs derrubadas pelo vento (e também a colheita principal das maçãs, quando amadurecessem) deveriam ser reservados apenas para os porcos.

CAPÍTULO 4

No fim do verão, a notícia do que havia acontecido na Fazenda dos Bichos se espalhara por metade do condado. Dia após dia, Bola-de-Neve e Napoleão mandavam formações de pombos com instruções para se misturar com animais das fazendas vizinhas, contar a história da Rebelião e lhes ensinar a melodia de "Bichos da Inglaterra".

Sr. Jones passara a maior parte desse tempo sentado ao balcão do Red Lion, em Willingdon, reclamando para qualquer um que quisesse ouvir a respeito da injustiça monstruosa que havia sofrido ao ser expulso de sua propriedade por um bando de animais inúteis. Os outros fazendeiros simpatizavam a princípio, mas não ofereceram muita ajuda de início. No fundo, cada um deles estava secretamente se perguntando se não poderia, de alguma forma, transformar o infortúnio de Jones em seu benefício. Era uma sorte que os donos das duas fazendas adjacentes à Fazenda dos Bichos estivessem brigados permanentemente. Uma delas, chamada Foxwood, era uma granja das antigas, grande, abandonada, tomada por bosques, com todos os pastos já desgastados e os arbustos em uma condição sofrível. O dono, sr. Pilkington, era um granjeiro cavalheiro de bons tratos que passava a maior parte do tempo pescando ou caçando, conforme a estação. A outra fazenda, que se chamava Pinchfield, era menor e mais cuidada. Seu dono era sr. Frederick, um homem duro, perspicaz, perpetuamente envolvido com ações judiciais e conhecido por barganhar muito. Esses dois se detestavam tanto que era difícil que concordassem em qualquer coisa, até mesmo na defesa de seus próprios interesses.

Ainda assim, ambos haviam se apavorado com a rebelião na Fazenda dos Bichos e ansiavam por esconder o máximo da situação de seus animais. De início, fingiram rir com a graça de animais administrando uma granja por si mesmos. A bobagem toda acabaria em uma quinzena, eles diziam. Falavam que os animais da Fazenda do Solar (insistiam em chamar de Fazenda do Solar; não tolerariam o nome "Fazenda dos Bichos") estavam perpetuamente brigando entre si e também logo morreriam de fome. Quando o tempo passou, e os animais evidentemente não haviam morrido de fome, Frederick e Pilkington mudaram de opinião e começaram a falar das crueldades terríveis que agora floresciam na Fazenda dos Bichos. Era dito que os animais praticavam canibalismo, tortura com ferraduras em brasas e tinham fêmeas em comum. Era isso que acontecia quando se rebelava contra as leis da Natureza, Frederick e Pilkington diziam.

No entanto, nunca se acreditara totalmente nessas histórias. Boatos de uma fazenda maravilhosa, de onde seres humanos haviam sido expulsos e animais administravam suas próprias questões, continuavam a circular em formas vagas e distorcidas, e ao longo daquele ano uma onda de rebeldia atravessou o campo. Touros, que sempre foram tratáveis, subitamente se tornaram selvagens; ovelhas derrubavam arbustos e devoravam trevos; vacas viravam baldes aos coices; e cavalos de caçadores de raposa ignoravam os cercados e jogavam os cavaleiros para os lados. E, acima de tudo, a melodia e a letra de "Bichos da Inglaterra" eram conhecidas por todos os cantos. Ela havia se espalhado com velocidade surpreendente. Os seres humanos não conseguiam segurar a raiva quando ouviam a música, apesar de fingirem pensar que era apenas ridícula. Diziam não conseguir entender como animais conseguiam cantar uma bobagem tão desprezível. Açoitavam, no mesmo instante, qualquer animal pego cantando. E, ainda assim, a canção era irrepreensível. Os melros a trinavam nas cercas, os pombos arrulhavam nos olmeiros, e ela ecoava nas marteladas dos ferreiros e no ritmo dos sinos das igrejas. E, quando os seres humanos a escutavam, tremiam em segredo, ouvindo na canção uma profecia de desgraça vindoura.

No começo de outubro, quando o trigo já havia sido colhido, amontoado e parcialmente debulhado, um bando de pombas entrou arrulhando pelo ar e se alinhou no jardim da Fazenda dos Bichos na maior das agitações. Jones e todos os seus homens, com uma meia dúzia de outros de Foxwood e Pinchfield, haviam atravessado o portão de cinco barras e estavam subindo a trilha que levava à fazenda. Todos carregavam tacos de pau, exceto por Jones, que liderava a marcha com uma espingarda em mãos. Era óbvio que iam tentar recapturar a propriedade.

Isso era esperado havia muito tempo, e todas as preparações estavam feitas. Bola-de-Neve, que havia estudado um livro antigo, encontrado na casa, sobre as campanhas de Júlio César, estava no comando das operações defensivas. Deu as ordens rapidamente e, em poucos minutos, todos os animais assumiram seus postos.

Conforme os seres humanos se aproximaram da área de galpões da fazenda, Bola-de-Neve lançou seu primeiro ataque. Todos os pombos, trinta e cinco deles, voaram de um lado para o outro sobre as cabeças dos homens e, do ar, defecaram sobre eles; enquanto os homens lidavam com eles, os gansos, escondidos atrás de arbustos, correram e bicaram tornozelos com crueldade. No entanto, isso era apenas uma manobra leve de escaramuça, com a intenção de criar uma pequena bagunça e, com facilidade, os homens afastaram os gansos com seus tacos. Bola-de-Neve lançou sua segunda linha de ataque. Maricota, Benjamim e todas as ovelhas, com Bola-de-Neve na liderança, arremeteram, atacaram e escoicearam os homens por todos os lados, enquanto Benjamim dava as costas e os agredia com os pequenos cascos. Porém, mais uma vez, os homens, com seus tacos e botinas, foram mais fortes que eles e, de súbito, sob um grito de Bola-de-Neve, que era o sinal para a retirada, todos os animais deram as costas e fugiram pelos portões para o quintal.

Os homens deram um berro triunfal. Eles viram, como haviam imaginado, os inimigos em fuga e se apressaram atrás deles em desordem. Isso era exatamente o que Bola-de-Neve havia pretendido. Logo que estavam dentro do quintal, os três cavalos, as três vacas e o restante dos porcos, que esperavam em emboscada nos estábulos, inesperadamente emergiram por trás, cortando a retirada. Bola-de-Neve agora dava o sinal para o ataque. Ele próprio disparou reto para Jones. Ao vê-lo chegar, Jones ergueu a arma e atirou. Os projéteis riscaram linhas sangrentas pelas costas de Bola-de-Neve, e uma ovelha caiu morta. Sem parar por um instante, Bola-de-Neve lançou seus quase cem quilos nas pernas de Jones. Este foi lançado em uma pilha de esterco, e a arma voou de suas mãos. Mas o espetáculo mais apavorante de todos era Sansão, empinando-se nas patas traseiras e atacando com os grandes cascos com ferraduras como um garanhão. Seu primeiríssimo ataque lançou um rapazote, que trabalhava nos estábulos de Foxwood, de cabeça na lama, inerte. Ao ver isso, diversos homens largaram os tacos e tentaram correr. O pânico tomou conta deles e, no momento seguinte, todos os animais juntos os perseguiam por todo o quintal. Os homens foram chifrados, chutados, mordidos e pisoteados. Não havia um animal sequer na granja que não houvesse se vingado à sua própria maneira. Até mesmo a gata inesperadamente saltou de um telhado nos ombros de um peão, metendo as garras em seu pescoço, o que o fez gritar horrivelmente. Assim que a saída foi liberada, os homens se alegraram em sair correndo do quintal e disparar para a estrada principal. E, então, cinco minutos depois da invasão, estavam em retirada vergonhosa da mesma maneira que haviam chegado, com um bando de gansos sibilando atrás deles e bicando seus calcanhares por todo o caminho.

Todos os homens haviam partido, exceto um. Ainda no quintal, Sansão o empurrou com o casco — o rapazote cavalariço estava deitado de cara na lama —, tentando virá-lo. O garoto não se moveu.

— Ele está morto — disse Sansão com arrependimento. — Eu não tive a intenção de fazer isso. Eu me esqueci de que estava de ferradura. Quem vai acreditar que não fiz isso de propósito?

— Sem sentimentalismo, camarada! — gritou Bola-de-Neve, cujas feridas ainda gotejavam sangue. — Guerra é guerra. Um ser humano bom é um ser humano morto.

— Não tenho o menor desejo de tomar uma vida, nem mesmo a de um ser humano — repetiu Sansão, os olhos cheios de lágrimas.

— Onde está Mimosa? — exclamou alguém.

Mimosa estava, na verdade, desaparecida. Por um momento, houve um alarme grande; temia-se que os homens pudessem tê-la ferido de alguma forma ou até mesmo a levado consigo. No fim das contas, no entanto, foi encontrada escondida em sua baia com a cabeça enterrada no meio da palha na manjedoura. Ela fugira no instante em que a arma disparou. E quando os outros vieram à sua procura, foi apenas para descobrir que o rapazote do estábulo, que estava apenas desmaiado, já havia se recuperado e partido.

Os animais haviam se reagrupado na maior das empolgações, cada um repetindo a altos brados suas próprias aventuras no campo de batalha. Uma celebração improvisada da vitória aconteceu de imediato. Hastearam a bandeira e cantaram "Bichos da Inglaterra" diversas vezes, então a ovelha que foi morta recebeu um funeral solene, com um ramo de espinheiro plantado sobre seu túmulo. Ao lado do túmulo, Bola-de-Neve fez um pequeno discurso, enfatizando a necessidade de todos os animais estarem prontos para morrer pela Fazenda dos Bichos se assim fosse necessário.

Os animais decidiram, de forma unânime, criar uma condecoração militar, a "Herói Animal, Primeira Classe", que foi conferida naquele instante a Bola-de-Neve e Sansão. Consistia de uma medalha de bronze (na verdade, bronze de velhos arreios para cavalos encontrados no galpão de ferramentas) para ser usada aos domingos e feriados. Também se criou a "Herói Animal, Segunda Classe", que foi conferida postumamente à ovelha morta.

Houve muita discussão a respeito de como chamar a batalha. Por fim, chamou-se de Batalha do Estábulo, já que ali foi onde ocorreu a emboscada. A arma de sr. Jones foi encontrada na lama, e se sabia que havia um estoque de cartuchos na casa-grande. Ficou decidido que colocariam a arma ao pé do mastro, como um item de artilharia, e a dispararim duas vezes ao ano — uma vez no dia 12 de outubro, aniversário da Batalha do Estábulo, e uma vez no solstício de verão, aniversário da Rebelião.

CAPÍTULO 5

Com a chegada do inverno, Mimosa começou a criar mais e mais problemas. Ela se atrasava para o trabalho todas as manhãs, desculpando-se que havia dormido demais, e se queixava de dores misteriosas, apesar de estar com um apetite excelente. Sob todo tipo de pretexto, ela fugia de trabalho e ia para o açude, onde parava tolamente encarando o próprio reflexo na água. Mas havia também rumores de algo mais sério. Um dia, quando Mimosa caminhava com alegria no quintal, meneando a cauda longa e mascando um talo de feno, Quitéria a chamou no canto.

— Mimosa — ela disse —, tenho algo muito sério para lhe dizer. Hoje pela manhã eu vi você olhando por cima da cerca-viva que divide a Fazenda dos Bichos com Foxwood. Um dos homens do sr. Pilkington estava parado do outro lado da cerca. E... eu estava muito longe, mas tenho quase certeza de que vi isso... Ele estava falando com você, e você permitiu que ele fizesse carinho em seu focinho. O que isso quer dizer, Mimosa?

— Ele não! Eu não! Não é verdade! — gritou Mimosa, começando a saltar e patear o chão.

— Mimosa! Olhe nos meus olhos. Você me dá sua palavra de honra de que aquele homem não estava fazendo carinho em seu focinho?

— Não é verdade! — repetiu Mimosa, mas ela não conseguia olhar Quitéria nos olhos e, logo em seguida, empinou-se e saiu galopando pelo campo.

Um pensamento chegou a Quitéria. Sem dizer nada aos outros, ela foi para o estábulo de Mimosa e revirou a palha com as patas. Escondido sob tudo aquilo, havia um montinho de torrões de açúcar e diversos novelos de fitas das mais variadas cores.

Três dias depois, Mimosa desapareceu. Por algumas semanas, não se soube nada de seu paradeiro, então os pombos relataram que a haviam visto do outro lado de Willingdon. Ela estava entre as hastes de uma bela charrete preta e vermelha, na frente de uma taverna. Um homem gordo, de cara vermelha, calças xadrez e polainas, que parecia ser um estalajadeiro, fazia carinho em seu focinho e lhe dava torrões de açúcar. A crina estava recém-tosada, e ela usava uma fita escarlate na franja. Ela parecia contente, disseram os pombos. Nenhum dos animais sequer mencionou Mimosa outra vez.

Em janeiro, veio um clima amargamente árduo. A terra ficou dura como ferro, e nada podia ser feito nos campos. Muitas reuniões ocorreram no celeiro grande, e os porcos se ocuparam em planejar o trabalho da estação a seguir. Começou-se a aceitar que os porcos, que eram manifestamente mais inteligentes que os outros animais, deveriam decidir todas as questões políticas da granja, apesar de suas decisões terem de ser ratificadas por uma votação da maioria. Esse arranjo teria funcionado bem o suficiente se não fosse pelas disputas entre Bola-de-Neve e Napoleão. Esses dois discordavam em todas as situações que permitiam discordância. Se um sugerisse ocupar uma área maior plantando mais cevada, o outro com certeza demandaria uma área maior de aveia; e se um deles dissesse que tal e tal campo eram ideais para plantar repolhos, o outro declararia que era inútil para qualquer coisa exceto raízes. Cada um deles tinha seus seguidores, e havia alguns debates violentos. Nas Reuniões, Bola-de-Neve com frequência conquistava a maioria com seus discursos brilhantes, mas Napoleão era melhor conquistando apoio para si mesmo no meio-tempo. Tinha particular preferência das ovelhas. Mais recentemente, elas haviam começado a balir: "Quatro patas, bom; duas patas; ruim", fosse o momento apropriado ou inapropriado, e com frequência interrompiam a Reunião com isso. Notou-se que elas estavam especialmente suscetíveis a puxar: "Quatro patas, bom; duas patas, ruim" em momentos cruciais dos discursos de Bola-de-Neve. Ele havia estudado alguns números antigos da revista *Agricultor e Pecuarista* que havia encontrado na casa-grande e estava cheio de planos para inovações e melhorias. Falava com propriedade de drenagem, ensilagem e escórias básicas, além de haver montado um esquema complicado de modo que todos os animais evacuassem estrume diretamente nos campos, em um ponto diferente a cada dia, para poupar o trabalho de carretagem. Napoleão não fazia esquemas próprios, mas parecia estar esperando sua vez e dizia em voz baixa que Bola-de-Neve não daria em nada. De todas as controvérsias, contudo, nenhuma foi tão grave quanto a do moinho de vento.

Além do campo, não muito longe das casas, havia um outeiro que era o ponto mais alto da fazenda. Depois de analisar o terreno, Bola-de-Neve declarou que era o lugar ideal para um moinho de vento, que poderia acionar um dínamo e fornecer eletricidade para a fazenda. Isso iluminaria as baias e as aqueceria no inverno, e também alimentaria uma serra circular, um moedor de cereais, um cortador de beterrabas para forragem e uma ordenhadeira elétrica. Os animais nunca haviam escutado nada do gênero antes (pois a fazenda era antiga e tinha o maquinário mais primitivo) e ouviram com surpresa, ao mesmo tempo que Bola-de-Neve conjurava imagens de máquinas fantásticas que fariam o trabalho por eles enquanto pastavam com tranquilidade nos campos ou afiavam suas mentes com leituras e conversas.

Em algumas poucas semanas, os planos de Bola-de--Neve para o moinho de vento estavam montados por completo. Os detalhes mecânicos vieram, majoritariamente, de três livros que pertenceram a sr. Jones: *Mil coisas úteis para fazer em casa*, *Seja seu próprio pedreiro* e *Eletricidade para principiantes*. Bola-de-Neve transformou um galpão com piso de madeira lisa, usado para abrigar incubadoras, em seu estúdio, um espaço para desenhar e planejar. Ficava fechado ali por horas a fio. Com os livros abertos sob o peso de uma pedra e um pedaço de giz entre as duas pontas do casco, ele se movia rapidamente de um lado para o outro, desenhando linhas e mais linhas e, de tempos em tempos, soltando pequenos sussurros de empolgação. Aos poucos, os planos cresceram em uma massa complicada de manivelas e engrenagens, cobrindo mais do que metade do piso, e que os outros animais achavam completamente ininteligível, mas muito impressionante. Todos vinham olhar os rascunhos de Bola-de-Neve ao menos uma vez por dia. Até mesmo as galinhas e os patos vinham, sofrendo para não pisar nas marcas de giz. Apenas Napoleão seguia alheio. Ele havia se posicionado contra o moinho de vento desde o começo. Um dia, no entanto, chegou inesperadamente para examinar os planos. Ele caminhou com peso ao redor do galpão, olhou com cuidado para cada detalhe dos planos, farejou-os uma ou outra vez, parou um pouco para contemplá-los pelo canto do olho; então, de súbito, levantou a pata, urinou em cima de todos os planos e partiu sem dizer nada.

A granja inteira estava profundamente dividida em relação ao assunto do moinho de vento. Bola-de-Neve não negava que a construção seria uma questão difícil. Pedras teriam de ser carregadas e transformadas em paredes, depois as pás, e, então, seria necessário obter dínamos e cabos (de onde isso sairia, Bola-de-Neve não disse). Mas afirmava que tudo poderia ser feito em um ano. E, logo em seguida, declarou que o trabalho poupado seria tanto que os animais apenas trabalhariam três dias por semana. Napoleão, por outro lado, argumentava que a necessidade principal do momento era aumentar a produção de comida e que, se eles desperdiçassem tempo no moinho de vento, todos morreriam de fome. Os animais se dividiram em duas facções sob os slogans "Vote por Bola-de-Neve e a semana de três dias" e "Vote por Napoleão e a manjedoura cheia". Benjamim era o único animal que não escolhia um lado. Ele se negava a acreditar que comida abundaria mais ou tampouco que o moinho de vento pouparia trabalho. Com ou sem moinho, ele dizia, a vida seguiria como sempre havia seguido — isso quer dizer, mal.

Além das disputas pelo moinho de vento, havia a questão da defesa da fazenda. Todos compreendiam completamente que, apesar de terem derrotado os seres humanos na Batalha do Estábulo, poderia haver outra tentativa mais determinada para reconquistar a fazenda e reestabelecer sr. Jones. Eles tinham ainda mais motivos para fazer isso, porque as notícias da derrota se espalharam pelo interior e causaram ainda mais rebeldia do que nunca nos animais da vizinhança. Como de costume, Bola-de-Neve e Napoleão discordavam. Segundo Napoleão, o que os animais tinham que fazer era obter armas e aprender a usá-las. Segundo Bola-de-Neve, eles precisavam mandar mais e mais pombos e agitar mais a Rebelião entre animais de outras granjas. O primeiro argumentava que, se não pudessem se defender, estavam destinados a ser conquistados; o segundo alegava que, se as rebeliões ocorressem em todos os lados, não precisariam se defender. Os animais ouviram Napoleão, depois Bola-de-Neve, e não conseguiam definir quem tinha razão; na verdade, eles sempre concordavam com quem estivesse falando no momento.

Por fim, chegou o dia em que os planos de Bola-de-Neve estavam terminados. Na Reunião do domingo seguinte, a questão de começar ou não a trabalhar no moinho de vento foi colocada em votação. Quando os animais se reuniram no celeiro grande, Bola-de-Neve se levantou e, apesar de ocasionalmente interrompido pelos balidos das ovelhas, lançou seus motivos para defender a construção do moinho de vento. Então, Napoleão se levantou para responder. Disse em voz muito calma que o moinho de vento era uma bobagem e que aconselhava que ninguém votasse por ele, e se sentou de novo no ato; ele mal havia falado por trinta segundos e parecia quase indiferente ao efeito que produzira. Nesse momento, Bola-de-Neve saltou em pé, gritando para calar as ovelhas, que haviam começado a balir de novo, e iniciou um apelo passional a favor do moinho de vento. Até aquele momento, os animais estavam quase igualmente divididos em suas simpatias, mas, em um instante, a eloquência de Bola-de-Neve os empolgou. Em frases brilhantes, ele pintou uma imagem de como a Fazenda dos Bichos seria quando o trabalho sórdido fosse retirado das costas dos animais. Sua imaginação havia agora ido muito além dos moinhos de cereais e dos corta-nabos. A eletricidade, ele disse, poderia operar debulhadoras, arados, grades, rolos compressores, ceifeiras e atadeiras, além de oferecer energia para uma iluminação em cada baia, água quente e fria e um aquecedor elétrico. Quando terminou, não havia dúvida sobre como a votação acabaria. Mas bem nesse momento Napoleão se levantou e, lançando um peculiar olhar de esguelha para Bola-de-Neve, soltou um guincho agudo de um tipo que ninguém nunca o havia escutado soltar antes.

Naquele momento, houve um som terrível de latidos do lado de fora, e nove cães enormes, usando coleiras com rebites de bronze, avançaram para dentro do celeiro. Dispararam de imediato na direção de Bola-de-Neve, que mal saiu do lugar a tempo de escapar do estalo das mandíbulas. Em um instante, saiu porta afora, e os cães o seguiram. Espantados e assustados demais para falar, todos os animais se amontoaram na porta para observar a perseguição. Bola-de-Neve corria pelo longo pasto que levava à estrada. Ele corria da forma que apenas um porco poderia correr, mas os cães se aproximavam. De repente, ele escorregou e pareceu a todos que certamente fora pego. Então ele se levantou de novo, correndo mais rápido que nunca, mas os cães começaram a ganhar terreno mais uma vez. Um deles quase capturou o rabo de Bola-de-Neve entre os dentes, mas ele escapuliu bem a tempo. Então, deu uma disparada a mais e, com poucos centímetros de vantagem, escorregou para dentro de um buraco em um arbusto e não foi mais visto.

Calados e amedrontados, os animais voltaram para o celeiro com calma. Em um momento, os cães chegaram saltando. De início, ninguém havia conseguido imaginar de onde tinham vindo as criaturas, mas o mistério se solucionou logo: eles eram os filhotinhos que Napoleão havia tirado das mães e criado em privado. Apesar de não estarem totalmente adultos ainda, eram bestas enormes e com ar feroz como de lobos. Eles ficavam perto de Napoleão. Notou-se que abanavam a cauda para ele, da mesma maneira que os outros cães costumavam fazer com sr. Jones.

Napoleão, com os cães atrás de si, agora subia na plataforma elevada do chão onde Major havia anteriormente feito seu discurso. Ele anunciou que, daquele momento em diante, as Reuniões de domingo de manhã terminariam. Eram desnecessárias, ele disse, e tempo desperdiçado. No futuro, todas as questões relacionadas ao funcionamento da granja seriam estabelecidas por um comitê especial de porcos, presidido por ele. Eles se encontrariam em particular e comunicariam as decisões aos outros depois. Os animais ainda se reuniriam nos domingos pela manhã para saudar a bandeira, cantar "Bichos da Inglaterra" e receber as ordens semanais, mas não haveria mais debates.

Apesar do choque que a expulsão de Bola-de-Neve havia causado, os animais ficaram consternados com o anúncio. Diversos teriam protestado se pudessem encontrar os argumentos apropriados. Até mesmo Sansão ficou vagamente incomodado. Com as orelhas para trás, ele balançou o topete diversas vezes e tentou muito ordenar seus pensamentos; mas, no fim das contas, ele não conseguia pensar em nada para dizer. Alguns porcos, no entanto, eram mais articulados. Quatro jovens barrões na fileira da frente soltaram estridentes guinchos de reprovação, e todos os quatro saltaram em pé e começaram a falar junto. Mas, de súbito, os cães sentados ao redor de Napoleão soltaram rosnados profundos e ameaçadores, e os porcos caíram em silêncio e se sentaram de novo. Então as ovelhas explodiram em um balido tremendo de "Quatro patas, bom; duas patas, ruim!" que se seguiu por quase quinze minutos e acabou com qualquer chance de discussão.

Mais tarde, Garganta foi enviado a sair pela fazenda para explicar a nova organização aos outros.

— Camaradas — ele disse —, confio que cada animal aqui aprecia o sacrifício que o Camarada Napoleão fez ao assumir essa tarefa a mais para si. Não imaginem, camaradas, que a liderança é um prazer! Pelo contrário, é uma responsabilidade profunda e pesada. Ninguém acredita mais que o Camarada Napoleão que todos os animais são iguais. Ele ficaria muito satisfeito em deixar que vocês tomassem suas decisões por si mesmos. Mas, às vezes, vocês poderiam tomar as decisões erradas, camaradas, e então onde nós estaríamos? Imaginem que tivessem decidido seguir Bola-de-Neve, com essa ideia sem pé nem cabeça de moinho... Bola-de-Neve, que, como todos sabemos agora, não era melhor que um criminoso, não é?

— Ele lutou com coragem na Batalha do Estábulo — disse alguém.

— Coragem não é o suficiente — disse Garganta. — Lealdade e obediência são mais importantes. E, com relação à Batalha do Estábulo, creio que chegará o momento em que descobriremos que a atuação de Bola-de-Neve foi muito mais exagerada. Disciplina, camaradas, disciplina de ferro! Essa é a palavra de ordem de hoje. Um passo em falso e nossos inimigos se lançarão sobre nós. Com certeza, camaradas, vocês não querem a volta de Jones.

Mais uma vez, a esse argumento era impossível responder. Com certeza os animais não queriam a volta de Jones, e se a realização de debates nas manhãs de domingo abria a possibilidade de trazê-lo de volta, então os debates deviam parar. Sansão, que agora tivera tempo de pensar um pouco nas coisas, expressou o sentimento geral ao dizer:

— Se o Camarada Napoleão está dizendo, deve estar certo.

E, desde então, ele adotou a máxima: "Napoleão está sempre certo!", além de seu lema pessoal, "Vou trabalhar mais!".

A essa altura, o clima havia cedido um pouco, e a colheita de primavera começou. O depósito onde Bola-de-Neve havia desenhado os planos do moinho de vento fora encerrado e se imaginou que os planos foram limpos do chão. A cada domingo, às dez da manhã, os animais se reuniam no celeiro grande para receber as ordens da semana. O crânio do velho Major, agora limpo de toda carne, havia sido desenterrado do pomar e posto sobre um toco na base do mastro, ao lado da arma. Depois do içar da bandeira, os animais deviam se enfileirar e passar pelo crânio de forma reverente antes de entrar no celeiro. Eles não mais se sentavam todos juntos como faziam no passado. Napoleão, com Garganta e outro porco chamado Mínimo, que tinha um dom notável para compor canções e poemas, sentava-se na frente da plataforma elevada, com os nove cachorros jovens formando um semicírculo ao redor deles, e os outros porcos se sentavam atrás. O resto dos animais ficava sentado na parte central do celeiro a olhar. Napoleão lia as ordens da semana em voz alta, áspera e militar, e, depois de cantar "Bichos da Inglaterra" apenas uma vez, todos os animais se dispersavam.

No terceiro domingo após a expulsão de Bola-de-Neve, os animais ficaram levemente surpresos ao ouvir Napoleão anunciar que o moinho de vento seria construído, afinal de contas. Ele não deu um motivo para ter mudado de ideia, apenas avisou aos animais que essa tarefa a mais significaria trabalhar muito, podendo até mesmo ser necessário reduzir as rações. Os planos, no entanto, estavam todos feitos, até o mínimo detalhe. Um comitê especial de porcos estivera trabalhando neles nas últimas três semanas. A construção do moinho, com várias outras melhorias, deveria demorar dois anos.

Naquela noite, Garganta explicou em particular aos outros animais que Napoleão nunca se opusera de fato ao moinho de vento. Pelo contrário, foi ele quem o havia defendido no começo, e o plano que Bola-de-Neve desenhara no chão do depósito de incubadoras na realidade havia sido roubado dos papéis de Napoleão. O moinho de vento, na verdade, era uma criação do próprio Napoleão.

— Por que, então — perguntou alguém —, ele havia se expressado contra o moinho com tanta veemência?

Aqui, Garganta pareceu muito perspicaz.

— Isso — ele disse — era o brilhantismo do Camarada Napoleão. Ele *parecera* se opor ao moinho de vento apenas como uma manobra para se livrar de Bola-de-Neve, que era uma figura perigosa e uma má influência. Agora que Bola-de-Neve está fora do caminho, o plano pode seguir em frente sem sua interferência. Isso é algo chamado de tática.

Ele repetiu várias vezes: "Tática, camaradas, tática!", saltando pelos lados e balançando o rabo com uma risada animada. Os animais não estavam certos do que a palavra queria dizer, mas Garganta falava com tamanha persuasão, e os três cães que casualmente estavam com ele rosnavam com tamanha ameaça, que todos aceitaram a explicação sem mais perguntas.

CAPÍTULO 6

Ao longo de todo aquele ano, os animais trabalharam como escravos. Mas estavam felizes com seu trabalho: eles não pouparam esforço ou sacrifício, bastante cientes de que tudo que faziam era pelo bem deles e daqueles que viriam depois deles, e não para um bando de seres humanos ladrões aproveitadores.

Por toda a primavera e o verão, trabalharam sessenta horas por semana e, em agosto, Napoleão anunciou que haveria trabalho nos domingos à tarde também. Esse trabalho era estritamente voluntário, mas qualquer animal que se ausentasse dele teria rações reduzidas pela metade. Ainda assim, tornou-se necessário deixar algumas tarefas por fazer. A colheita foi menos bem-sucedida do que no ano anterior, e dois campos que deveriam ter sido semeados com tubérculos no começo do verão não foram semeados, porque o arado não ficou completo a tempo. Era possível prever que o inverno que viria seria dos difíceis.

O moinho de vento apresentou dificuldades inesperadas. Havia uma boa pedreira de calcário na fazenda, e muita areia e cimento foram encontrados em um dos depósitos, assim todos os materiais para a construção estavam à mão. Mas o problema que os animais não conseguiram resolver de início era como quebrar a pedra em pedaços de tamanhos adequados. Não parecia haver outra forma de fazer isso senão com picaretas e pés de cabra, ferramentas que os animais não conseguiam usar, porque nenhum deles conseguia se manter nas duas patas traseiras. Apenas depois de semanas de um esforço em vão, a ideia certa ocorreu a alguém — usar a força da gravidade. Pedregulhos imensos, grandes demais para serem usados daquele tamanho, estavam espalhados por todo o leito da pedreira. Os animais lançaram cordas neles e, então, todos juntos, vacas, cavalos, ovelhas, qualquer animal que pudesse segurar as cordas — até mesmo os porcos às vezes se juntavam em momentos críticos — arrastaram aquilo com lentidão desesperada ladeira acima para o topo da pedreira, onde seriam lançados sobre o penhasco, para se espatifar em pedacinhos. Transportar as pedras depois que quebravam era relativamente simples. Os cavalos carregavam aquilo em carroças, as ovelhas arrastavam um único bloco, até mesmo Maricota e Benjamim se atrelaram em uma charrete antiga e fizeram a sua parte. No fim do verão, um depósito suficiente de pedras havia se acumulado, e então a construção começou sob a superintendência dos porcos.

Mas era um processo lento e laborioso. Com frequência, tomavam um dia inteiro de esforço exaustivo para arrastar uma única rocha ao topo da pedreira e, às vezes, quando era jogada pelo penhasco, ela permanecia inteira. Nada teria sido conquistado sem Sansão, cuja força parecia ser uma soma de todos os outros. Quando a rocha começava a escorregar, e os animais gritavam em desespero ao notar que seriam arrastados montanha abaixo juntamente com ela, sempre era Sansão quem se desgastava segurando a corda e fazia a pedra parar. Vê-lo subir, centímetro por centímetro, com a respiração rápida, a ponta dos cascos pisando o chão, as laterais imensas opacas com suor, enchia todos de admiração. Quitéria o alertou para, às vezes, tomar cuidado e não se sobrecarregar, mas Sansão nunca a ouvia. Suas duas máximas — "Vou trabalhar mais!" e "Napoleão está sempre certo!" — pareciam a ele uma resposta suficiente a todos os problemas. Ele pediu a um dos galos que o acordasse 45 minutos mais cedo, pela manhã, em vez de meia hora. E, nos momentos livres, o que recentemente não acontecia muito, ele ia sozinho à pedreira, juntava um monte de pedras quebradas e as arrastava até a área do moinho de vento sem a ajuda de ninguém.

Os animais não ficaram em estado muito ruim naquele verão, apesar da dureza do trabalho. Se não tinham maior quantidade de comida do que na época de Jones, certamente não tinham menor. A vantagem de apenas ter que alimentar a eles mesmos e não precisar sustentar cinco seres humanos extravagantes junto era tanta que precisariam de muitos fracassos para que pesasse contra eles. E, sob muitos aspectos, o método animal de fazer as coisas era mais eficiente e poupava trabalho. Trabalhos como a limpeza de ervas daninhas poderiam ser feitos com uma meticulosidade impossível a seres humanos. E, de novo, já que nenhum animal roubava, era desnecessário cercar o pasto da área arável, o que economizava muito trabalho na manutenção de sebes e cercas. Ainda assim, conforme o verão se esticou, uma escassez imprevista começou a ser sentida. Havia a necessidade de óleo de parafina, pregos, cordas, biscoitos para os cachorros e ferro para as ferraduras dos cavalos, objetos que não poderiam ser produzidos na fazenda. Mais tarde, haveria também a necessidade de sementes e esterco artificial, além de várias ferramentas e, enfim, o maquinário do moinho de vento. Como obter tudo isso ninguém conseguia imaginar.

Em uma manhã de domingo, quando os animais se reuniram para receber suas ordens, Napoleão anunciou que havia decidido uma política nova. Daquele momento em diante, a Fazenda dos Bichos iria se envolver em negócios com fazendas vizinhas: é claro que não para qualquer fim comercial, mas apenas para conseguir certos materiais que eram urgentemente necessários. As necessidades do moinho de vento precisavam se sobrepor a todo o resto, ele disse. Ele, portanto, estava fazendo combinações para vender uma pilha de feno e parte da colheita de cereal do ano e, mais tarde, se mais dinheiro fosse necessário, ele teria de ser gerado pela venda de ovos, pelos quais sempre havia procura em Willingdon. As galinhas, disse Napoleão, deveriam se alegrar com esse sacrífico como sua própria contribuição especial para a construção do moinho de vento.

Mais uma vez os animais tiveram uma vaga inquietação. Nunca lidar com seres humanos, nunca se envolver em negócios, nunca usar dinheiro — essas coisas não estiveram entre as primeiras resoluções passadas naquela Reunião triunfal depois de expulsar Jones? Todos os animais se lembravam da aprovação dessas resoluções — ou ao menos pensavam se lembrar. Os quatro jovens barrões que haviam protestado quando Napoleão aboliu as Reuniões levantaram as vozes com timidez, mas logo foram silenciados por rosnados tremendos dos cães. Então, como de costume, as ovelhas estalaram um "Duas patas, ruim; quatro patas, bom!", e o constrangimento momentâneo se suavizou. Enfim, Napoleão ergueu a pata pedindo silêncio e anunciou que já havia feito todos os arranjos. Não haveria necessidade alguma de que os animais entrassem em contato com seres humanos, o que seria claramente muito indesejável. Ele pretendia assumir todo aquele fardo para seus próprios ombros. Um tal sr. Whymper, advogado que morava em Willingdon, havia concordado em atuar como intermediário entre a Fazenda dos Bichos e o mundo externo, e os visitaria a cada manhã de segunda-feira para receber instruções. Napoleão terminou o discurso com seu berro costumeiro de "Vida longa à Fazenda dos Bichos!" e, depois de cantar "Bichos da Inglaterra", os animais foram dispensados.

Mais tarde, Garganta deu uma volta pela fazenda e tranquilizou os animais. Ele garantiu a todos que a resolução contra se envolver em negócios e usar dinheiro nunca havia sido aprovada de fato ou sequer sugerida. Era imaginação pura, provavelmente do início das mentiras divulgadas por Bola-de-Neve. Alguns poucos animais ainda sentiam uma vaga dúvida, mas Garganta lhes perguntou, então, com astúcia:

— Vocês têm certeza de que isso não é algo que vocês sonharam, camaradas? Vocês têm registro de uma resolução assim? Está escrita em algum lugar?

E já que era certamente verdade que nada do gênero existia por escrito, os animais se satisfizeram com a ideia de que haviam se enganado.

A cada segunda-feira, sr. Whymper visitava a fazenda conforme o combinado. Ele era um homenzinho com ar sagaz e bigodes laterais, um advogado com negócios muito pequenos, mas inteligente o suficiente para perceber, antes de qualquer outra pessoa, que a Fazenda dos Bichos precisaria de um agente e que valeria a pena pelas comissões. Os animais observavam seu chegar e partir com uma espécie de pavor e o evitavam o máximo que podiam. Ainda assim, a imagem de Napoleão, em quatro patas, dando ordens a Whymper, que estava em duas patas, aquecia o orgulho em seus peitos e os reconciliava parcialmente com o novo esquema. As relações deles com a raça humana não eram exatamente as mesmas de antes. Os seres humanos não odiavam menos a Fazenda dos Bichos agora que ela prosperava; na verdade, eles a odiavam mais do que nunca. Cada ser humano tinha a convicção total de que a fazenda quebraria mais cedo ou mais tarde e, acima de tudo, que o moinho de vento seria um fracasso. Eles se encontravam nos bares e provavam uns para os outros com diagramas que o moinho de vento certamente despencaria ou que, se ele de fato ficasse em pé, nunca funcionaria. E, ainda assim, contra a própria vontade, eles haviam desenvolvido um certo respeito pela eficiência com a qual os animais geriam as próprias questões. Um sintoma disso era que haviam começado a chamar a Fazenda dos Bichos pelo seu nome de fato e pararam de fingir que se chamava Fazenda do Solar. Eles também haviam abandonado a defesa de Jones, que desistira de conseguir a fazenda de volta e foi morar em outra parte do estado. Exceto por meio de Whymper, não havia contato entre a Fazenda dos Bichos e o mundo externo, mas havia rumores constantes de que Napoleão estava prestes a entrar em um acordo comercial definitivo ou com sr. Pilkington, de Foxwood, ou com sr. Frederick, de Pinchfield — mas nunca, notou-se, com os dois simultaneamente.

Foi a essa altura que os porcos se mudaram de repente para a casa-grande e fixaram residência lá. De novo, os animais pareciam se lembrar de que haviam passado uma resolução contra isso no começo dos tempos e, de novo, Garganta conseguiu convencê-los de que não era o caso. Era absolutamente necessário, ele disse, que os porcos, que eram os cérebros da fazenda, tivessem um lugar silencioso para trabalhar. Também era mais adequado para a dignidade do Líder (pois recentemente ele começara a se referir a Napoleão sob o título de "Líder") morar em uma casa em vez de um mero chiqueiro. Ainda assim, alguns dos animais se sentiram perturbados quando ouviram que os porcos não apenas comiam as refeições na cozinha e usavam a sala de estar como sala de recreação, mas também dormiam nas camas. Sansão dispensava, como de costume, com "Napoleão está sempre certo!", mas Quitéria, que pensava lembrar uma regra definitiva contra camas, foi para o fundo do galpão e tentou decifrar os Sete Mandamentos que estavam escritos ali. Dando-se conta de que não conseguia ler mais do que letras individuais, ela buscou Maricota.

— Maricota — ela disse —, leia para mim o Quarto Mandamento. Não diz alguma coisa a respeito de nunca dormir em uma cama?

Com alguma dificuldade, Maricota leu letra por letra.

— Está dizendo "Nenhum animal dormirá em uma cama com lençóis", ela anunciou enfim.

Curiosamente, Quitéria não se lembrara de o Quarto Mandamento mencionar lençóis; mas, já que estava ali na parede, devia ter sido sempre assim. E Garganta, que por casualidade passava naquele momento, acompanhado de dois ou três cães, conseguiu colocar a questão toda na perspectiva adequada.

— Vocês ouviram, então, camaradas — ele disse —, que nós, porcos, agora dormimos nas camas da casa-grande? E por que não? Vocês não imaginaram, com certeza, que em algum momento houve uma regra contra camas? Uma "cama" apenas significa local para dormir. Um monte de palha em uma baia é uma cama, se olhar apropriadamente. A regra era contra lençóis, que são uma invenção humana. Nós removemos os lençóis das camas na casa e dormimos em meio a mantas. E são camas muito confortáveis! Mas não são mais confortáveis do que precisamos que sejam, posso dizer a vocês, camaradas, com todo o trabalho intelectual que temos que fazer nos últimos tempos. Vocês não desejariam nos roubar de nosso repouso, desejariam, camaradas? Vocês não desejariam que estivéssemos cansados demais para executar nossas atividades, não é mesmo? Com certeza, nenhuma de vocês deseja ver Jones de volta.

As duas o asseguraram nessa questão de imediato, e nada mais foi dito a respeito dos porcos dormirem nas camas da fazenda. E quando, alguns dias depois, foi anunciado que de agora em diante os porcos acordariam pelas manhãs uma hora mais tarde do que os outros animais, tampouco se fez queixas a respeito disso.

Durante o outono, os animais estavam cansados, mas felizes. Eles tiveram um ano difícil e, depois da venda de parte do feno e do milho, os estoques de comida não eram muito abundantes, mas o moinho de vento compensava tudo. Estava quase na metade agora. Depois da colheita, houve um longo clima seco e limpo, e os animais trabalharam com mais força do que nunca, pensando que valeria a pena marchar de um lado para o outro o dia inteiro com pedaços de pedra se, ao fazer isso, eles pudessem erguer mais um pé de parede. Sansão inclusive vinha à noite e trabalhava por uma hora ou duas sozinho sob a luz da lua da colheita. Em seus momentos livres, os animais caminhavam ao redor do moinho de vento semiconcluído, admirando a força e a perpendicularidade de suas paredes e se maravilhando que tivessem conseguido construir qualquer coisa tão imponente. Apenas o velho Benjamim se recusava a se entusiasmar a respeito do moinho de vento, apesar de que, como de costume, ele não diria nada além da observação enigmática de que os burros vivem muito tempo.

Novembro veio com ventos fortes de sudoeste. A construção precisou parar, porque estava muito úmido para misturar o cimento. Por fim, houve uma noite em que o vendaval foi tão forte que todas as construções da fazenda sacolejaram nas bases e diversas telhas voaram do galpão. As galinhas acordaram grasnindo com terror, porque todas haviam sonhado simultaneamente com o tiro de uma arma a distância. Pela manhã, os animais saíram de suas baias para descobrir que o mastro da bandeira havia sido derrubado e um olmeiro no pé do pomar havia sido arrancado com a facilidade de um rabanete. Eles haviam acabado de constatar isso quando um grito de desespero saiu da garganta de cada um dos animais. Uma visão terrível acabara de atingir seus olhos: o moinho de vento estava em ruínas.

De uma vontade única, correram todos para o local. Napoleão, que raramente se movia além de uma caminhada leve, disparou na frente de todos. Sim, lá estava o fruto de todas as suas lutas rebaixado à altura das bases; as pedras que haviam sido quebradas e carregadas com tamanho trabalho espalhadas por todos os lados. Incapazes de falar de início, ficaram parados olhando tristemente o monte de pedra caída. Napoleão caminhava de um lado para o outro em silêncio, farejando o chão ocasionalmente. A cauda havia enrijecido e contraía-se de um lado para o outro de forma brusca, num sinal de atividade mental intensa. De repente, ele parou como se tivesse tomado uma decisão.

— Camaradas — ele disse em voz baixa —, vocês sabem quem é o responsável por isso? Vocês sabem qual inimigo veio aqui durante a noite e derrubou nosso moinho de vento? BOLA-DE-NEVE! — ele rugiu de súbito com uma voz de trovão. — Bola-de-Neve fez isso! De pura maldade, pensando em atrasar nossos planos e se vingar pela expulsão infame, esse traidor adentrou nossa terra sob a proteção da noite e destruiu nosso trabalho de quase um ano. Camaradas, aqui e agora, eu determino uma sentença de morte a Bola-de-Neve. "Herói Animal, Segunda Classe" e meia cesta de maçãs a qualquer animal que o trouxer à justiça. Um cesto inteiro para qualquer um que o capturar com vida!

Os animais ficaram extremamente chocados ao descobrir que Bola-de-Neve poderia ser capaz de uma atitude como essa. Houve um grito de indignação, e todos começaram a pensar em formas de pegar Bola-de-Neve caso ele ousasse retornar. Quase de imediato, as pegadas de um porco foram descobertas na grama a uma pequena distância da colina. Elas apenas puderam ser rastreadas por alguns metros, mas pareciam levar a um buraco na cerca. Napoleão as farejou profundamente e declarou que eram de Bola-de-Neve. Na opinião dele, Bola-de-Neve provavelmente viera da direção da Fazenda Foxwood.

— Sem mais delongas, camaradas! — gritou Napoleão quando as pegadas foram examinadas. — Há trabalho a ser feito. Nesta mesma manhã, começaremos a reconstruir o moinho de vento, e nós o construiremos por todo o inverno, faça chuva ou faça sol. Ensinaremos a esse traidor miserável que ele não pode desfazer nosso trabalho tão facilmente. Lembrem-se, camaradas, de que nada deve alterar nossos planos: eles devem ser executados no mesmíssimo cronograma. Em frente, camaradas! Vida longa ao moinho de vento! Vida longa à Fazenda dos Bichos!

CAPÍTULO 7

Foi um inverno amargo. O clima tempestuoso seguiu com granizo, neve e, então, uma geada intensa que não parou até meados de fevereiro. Os animais seguiram em frente o melhor que podiam com a reconstrução do moinho de vento, sabendo bem que o mundo externo os observava e que os seres humanos invejosos se alegrariam e triunfariam se o moinho de vento não estivesse terminado a tempo.

Por despeito, os seres humanos fingiram não acreditar que foi Bola-de-Neve quem havia destruído o moinho de vento: disseram que havia desmoronado porque as paredes eram finas demais. Os animais sabiam que não era o caso. Ainda assim, decidiu-se construir as paredes com espessura de 90 centímetros em vez de 45 como antes, o que significava coletar quantidades de pedra muito maiores. Por um grande período de tempo, a pedreira estava coberta com montes de neve e nada pôde ser feito. Algum progresso foi alcançado no clima seco e gelado que seguiu, mas foi trabalho cruel, e os animais não conseguiam se sentir tão esperançosos com a situação como antes. Estavam sempre com frio, e com frequência famintos também. Apenas Sansão e Quitéria nunca perdiam a esperança. Garganta fazia discursos excelentes a respeito da alegria de servir e da dignidade do trabalho, mas os outros animais viam mais inspiração na força de Sansão e em seu grito incessante de "Vou trabalhar mais!".

Em janeiro, a comida ficou escassa. As rações de milho haviam sido reduzidas drasticamente e anunciou-se que uma ração a mais de batata seria distribuída para compensar. Então, descobriu-se que a maior parte da colheita de batata havia congelado, em pilhas de estocagem que não haviam sido cobertas com espessura suficiente. As batatas haviam ficado moles e descoradas, e pouquíssimas estavam comestíveis. Por dias seguidos, os animais não tinham nada para comer além de palha e nabo. A fome parecia encará-los de frente.

Era vitalmente necessário esconder esse fato do mundo exterior. Encorajados pelo colapso do moinho de vento, os seres humanos estavam inventando mentiras novas a respeito da Fazenda dos Bichos. Mais uma vez, espalhava-se que os animais morriam de fome e de doenças, que estavam continuamente brigando entre si e que haviam recorrido a canibalismo e infanticídio. Napoleão estava bastante ciente dos resultados ruins que poderiam se seguir se os fatos reais da situação alimentar fossem expostos e decidiu usar sr. Whymper para espalhar uma impressão contrária. Até aquele ponto, os animais haviam tido pouco ou nenhum contato com Whymper em suas visitas semanais; agora, no entanto, uns poucos animais selecionados, ovelhas em sua maioria, eram instruídos a fazer observações audíveis a ele, dizendo que as rações haviam sido aumentadas. Além disso, Napoleão ordenou que as tulhas no depósito, quase vazias, fossem preenchidas quase à borda com areia, que então era coberta com o que restava de grãos e farinha grossa. Por algum pretexto adequado, Whymper foi levado para o depósito e então espiou de esguelha as tulhas. Ele foi enganado e continuou a relatar ao mundo exterior que não havia falta de comida na Fazenda dos Bichos.

Ainda assim, quase no fim de janeiro, ficou óbvio que seria necessário obter mais grãos de algum lugar. Nesses dias, Napoleão raramente aparecia em público, passava todo o seu tempo na casa-grande, onde cães de olhar feroz guardavam cada porta. Quando ele de fato emergia, era de forma cerimonial, com um bando de seis cães que o cercavam de perto e rosnavam se qualquer um se aproximasse muito. Com frequência, não aparecia nem nas manhãs de domingo, mas enviava as ordens por meio de algum dos outros porcos — em geral, Garganta.

Em uma manhã de domingo, Garganta anunciou que as galinhas, que haviam botado ovos recentemente, deveriam entregá-los. Por meio de Whymper, Napoleão aceitara um contrato de quatrocentos ovos por semana. O preço deveria cobrir grãos e comida o suficiente para manter a fazenda em funcionamento até a chegada do verão e as condições melhorarem.

Quando as galinhas ouviram isso, levantaram um alarido terrível. Elas haviam sido alertadas anteriormente que esse sacrifício poderia ser necessário, mas não haviam acreditado que de fato aconteceria. Elas estavam preparando seus ninhos para a chocagem de primavera e protestaram que tirar os ovos naquele momento seria assassinato. Pela primeira vez desde a expulsão de Jones, houve algo parecido com uma rebelião. Lideradas por três jovens frangas minorcas pretas, as galinhas fizeram um esforço determinado para contrariar os desejos de Napoleão. Usaram o método de voar para as vigas e ali pôr os ovos, que se quebravam em pedacinhos quando chegavam no chão. Napoleão agiu rápido e sem piedade. Ordenou que a ração das galinhas fosse cortada e decretou que qualquer animal que desse um grão de milho sequer para uma galinha seria punido com morte. Os cães fiscalizaram o cumprimento das ordens. As galinhas resistiram por cinco dias, então capitularam e voltaram para o galinheiro. Nove galinhas haviam morrido no meio-tempo. Seus corpos foram enterrados no pomar e falou-se que a causa foi coccidiose. Whymper não ouviu nada dessa situação, e os ovos foram devidamente entregues; o furgão de um merceeiro vinha à fazenda uma vez por semana para buscá-los.

Por todo esse tempo, não se ouviu mais nada de Bola-de-Neve. O boato era de que ele se escondia em alguma das fazendas vizinhas, Foxwood ou Pinchfield. Napoleão, a essa altura, estava se dando um pouco melhor com os outros fazendeiros do que antes. O fato era que existia no jardim uma pilha de madeira que havia sido feita dez anos antes, quando se limpou um bosque de faias. Estava bastante seca, e Whymper aconselhou Napoleão a vendê-la; tanto sr. Pilkington quanto sr. Frederick ansiavam por comprá-la. Napoleão hesitava entre os dois, sem conseguir se decidir. Notou-se que, sempre que ele parecia estar prestes a chegar a um acordo com Frederick, declarava-se que Bola-de-Neve estava escondido em Foxwood, ao passo que, quando ele se inclinava a Pilkington, dizia-se que Bola-de-Neve estava em Pinchfield.

Subitamente, no início da primavera, descobriu-se algo alarmante. Bola-de-Neve estava frequentando a fazenda secretamente à noite! Os animais ficaram tão perturbados que mal conseguiram dormir nas baias. Todas as noites, dizia-se, ele vinha espreitando coberto pela escuridão e fazia todos os tipos de maldade. Roubava o milho, virava baldes de leite, quebrava ovos, pisava nos viveiros de sementes e roía o tronco das árvores de fruta. Sempre que algo dava errado, tornou-se comum atribuir a culpa a Bola-de-Neve. Se uma janela quebrasse ou um dreno entupisse, alguém certamente diria que Bola-de-Neve viera durante a noite e fizera aquilo; quando se perdeu a chave do depósito, a granja inteira se convenceu de que Bola-de-Neve a havia atirado no poço. Curiosamente, eles seguiram acreditando nisso mesmo depois que se encontrou a chave desaparecida sob um saco de ração. As vacas declaravam com unanimidade que Bola-de-Neve entrava em suas baias à noite e as ordenhava enquanto dormiam. Também se dizia que os ratos, que foram um incômodo naquele inverno, eram aliados de Bola-de-Neve.

Napoleão decretou que se realizasse uma investigação ampla a respeito das atividades de Bola-de-Neve. Com os cães ao lado, ele se lançou em uma missão de inspeção das construções da fazenda, e os outros animais o seguiam a uma distância respeitosa. A cada poucos passos, Napoleão parava e cheirava o chão à procura de pegadas de Bola-de-Neve, que ele dizia conseguir detectar somente pelo cheiro. Farejou em cada canto, no galpão, nos estábulos, nos galinheiros, na horta, encontrando vestígios de Bola-de-Neve em quase todos os lugares. Deu fungadas profundas no chão e exclamou em uma voz terrível:

— Bola-de-Neve! Ele esteve aqui! Eu consigo sentir o cheiro!

E, sob o mero som de "Bola-de-Neve", todos os cães soltavam rosnados de gelar o sangue, mostrando os dentes.

Os animais estavam completamente apavorados. Parecia-lhes que Bola-de-Neve era algum tipo de influência invisível, permeando o ar ao redor deles e os ameaçando com todos os tipos de perigos. À noite, Garganta os reuniu e, com uma expressão alarmada no rosto, disse que tinha notícias sérias para relatar.

— Camaradas! — gritou Garganta, dando pulinhos nervosos. — Uma das coisas mais pavorosas foi descoberta. Bola-de-Neve se vendeu a Frederick, da Fazenda Pinchfield, que está, neste exato momento, planejando nos atacar e roubar nossa fazenda de nós! Bola-de-Neve agirá como guia quando o ataque iniciar. Mas há coisas piores que isso. Nós pensamos que a rebelião de Bola-de-Neve era causada por sua vaidade e ambição. Mas estávamos errados, camaradas. Vocês sabem qual era o motivo real? Bola-de-Neve estava de conluio com Jones desde o início! Foi o agente secreto de Jones o tempo todo. Tudo foi provado por documentos que ele deixou para trás e que acabamos de descobrir. No meu entender, isso explica muito, camaradas. Nós não vimos com nossos próprios olhos a forma como ele tentou, por sorte, sem sucesso, que fôssemos derrotados e destruídos na Batalha do Estábulo?

Os animais ficaram estupefatos. Isso era de uma maldade muito além da destruição do moinho de vento. Mas demoraram alguns minutos antes de conseguirem absorver tudo. Todos eles se lembravam, ou achavam que se lembravam, de ter visto Bola-de-Neve na liderança do ataque contra eles na Batalha do Estábulo, como ele encorajava e incitava o tempo inteiro, e como não havia parado nem por um instante sequer, até mesmo quando os tiros da arma de Jones feriram suas costas. De início, foi um pouco difícil ver como isso se encaixava com estar do lado de Jones. Até mesmo Sansão, que raramente fazia perguntas, ficou confuso. Ele se deitou, enfiou as patas da frente sob o corpo, fechou os olhos e, com um esforço grande, conseguiu formular os pensamentos.

— Eu não acredito nisso — ele disse. — Bola-de-Neve lutou com coragem na Batalha do Estábulo. Eu vi com meus próprios olhos. Nós não demos a ele o "Herói Animal, Primeira Classe" imediatamente depois?

— Esse foi um erro nosso, camarada. Pois nós sabemos mais coisas agora... Está tudo escrito nos documentos secretos que encontramos... Na realidade, ele estava tentando nos atrair à nossa ruína.

— Mas ele foi ferido — disse Sansão. — Todos nós o vimos ensanguentado.

— Isso foi parte do combinado — gritou Garganta. — O tiro de Jones passou de raspão. Eu poderia mostrar isso para você, escrito com a letra dele, se você conseguisse ler. O plano era que Bola-de-Neve, no momento crítico, desse o sinal de fuga e deixasse o campo para o inimigo. E ele esteve muito perto de conseguir. Ouso dizer, camaradas, que ele teria conseguido, se não fosse pelo nosso Líder heroico, Camarada Napoleão. Vocês não se lembram de como, no momento em que Jones e seus homens entraram no quintal, Bola-de-Neve deu as costas, fugiu, e muitos animais foram atrás? E vocês não se lembram, além disso, naquele exato momento, quando o pânico estava se espalhando e tudo parecia perdido, de que foi Camarada Napoleão quem saltou para a frente com um grito de "Morte à humanidade!" e cravou os dentes na perna de Jones? Com certeza vocês se lembram disso, não é, camaradas? — exclamou Garganta, agitando-se de um lado para o outro.

Naquele momento, com Garganta descrevendo a cena de forma tão gráfica, pareceu aos animais que eles de fato lembravam. De qualquer modo, eles se lembraram de que, no momento crítico da batalha, Bola-de-Neve havia se virado para fugir. Mas Sansão ainda estava um pouco incerto.

— Não acredito que Bola-de-Neve foi um traidor desde o começo — ele disse enfim. — O que ele fez depois é diferente. Mas eu acredito que, na Batalha no Estábulo, ele foi um bom camarada.

— Nosso Líder, Camarada Napoleão — anunciou Garganta, falando bastante devagar e com firmeza —, declarou categoricamente... Categoricamente, camarada!... Que Bola-de-Neve era um agente de Jones desde o primeiro momento. Sim, e desde muito tempo antes de a Rebelião ter sido cogitada.

— Ah, isso é diferente! — disse Sansão. — Se o Camarada Napoleão diz, deve estar certo.

— É este o verdadeiro espírito, camarada! — gritou Garganta, mas se notou que lançou um olhar muito feio com os olhos brilhantes para Sansão.

Ele se virou para partir, mas então pausou e acrescentou de modo impressionante:

— Eu alerto todos os animais desta granja a manter os olhos muito abertos. Pois nós temos motivos para pensar que alguns dos agentes secretos de Bola-de-Neve espreitam entre nós neste exato momento!

Quatro dias depois, no fim da tarde, Napoleão ordenou uma reunião com os bichos no quintal. Quando todos estavam reunidos, ele emergiu da casa-grande da fazenda, usando suas duas medalhas (pois recentemente havia se agraciado com medalhas de "Herói Animal, Primeira Classe" e "Herói Animal, Segunda Classe"), com seus nove cães enormes se animando ao redor e rosnando de uma forma que dava arrepios nas espinhas de todos os animais. Todos se encolhiam onde estavam, parecendo já saber que algo terrível estava prestes a acontecer.

Napoleão ficou em pé, com severidade, analisando a audiência; então soltou um guincho agudo. De imediato, os cães saltaram para a frente, agarraram quatro dos porcos pela orelha e os arrastaram, com eles soltando guinchos de dor e terror, até os pés de Napoleão. As orelhas dos porcos sangravam, os cães haviam provado sangue e, por alguns instantes, pareceram ficar bastante enlouquecidos. Para o espanto de todos, três deles se lançaram sobre Sansão. Este os viu chegar e estendeu seu grande casco, pegou um cão no ar e o imobilizou no chão. O cão ganiu por misericórdia, e os outros dois fugiram com o rabo entre as pernas. Sansão olhou para Napoleão para saber se deveria amassar o cão até morrer ou soltá-lo. Napoleão pareceu mudar de semblante e, de forma brusca, ordenou que Sansão soltasse o animal, então o cavalo ergueu o casco e o cão se arrastou para longe, ferido e uivando.

Em seguida, o tumulto se acalmou. Os quatro porcos esperavam, tremendo, com a culpa estampada em cada linha de seus semblantes. Napoleão então os chamou para confessar seus crimes. Eram os mesmos porcos que haviam protestado quando Napoleão aboliu as Reuniões de domingo. Sem qualquer outro incentivo, eles confessaram que haviam estado secretamente em contato com Bola-de-Neve desde sua expulsão, que haviam colaborado com ele para destruir o moinho de vento e que haviam entrado em acordo com ele para passar a Fazenda dos Bichos para Frederick. Acrescentaram que Bola-de--Neve havia admitido para eles em privado que havia sido o agente secreto de Jones por anos. Quando terminaram as confissões, os cães rasgaram seus pescoços e, em uma voz terrível, Napoleão perguntou se algum outro animal tinha qualquer coisa para confessar.

As três galinhas que haviam liderado a tentativa de rebelião dos ovos agora vinham à frente e declaravam que Bola-de-Neve havia aparecido para elas em um sonho e as incitara a desobedecer às ordens de Napoleão. Elas também foram trucidadas. Então um ganso veio à frente e confessou que havia escondido seis espigas de milho durante a colheita do ano anterior e as comido durante a noite. Então uma ovelha confessou ter urinado no açude — obrigada a fazer isso, assim ela disse, por Bola-de-Neve —, e duas outras ovelhas confessaram haver assassinado um velho carneiro, um seguidor de Napoleão particularmente devoto, obrigando-o a correr ao redor de uma fogueira quando ele sofria de tosse. Foram todos assassinados no mesmo instante. E assim a sessão de confissões e execuções prosseguiu até haver uma pilha de corpos caída ali, perante os pés de Napoleão, e o ar pesar com o cheiro de sangue que não se sentia desde a expulsão de Jones.

Quando tudo acabou, os animais restantes, exceto os cães e os porcos, partiram em uma grande massa. Estavam abalados e miseráveis. Não sabiam o que era mais chocante — a traição dos animais que haviam se ligado a Bola-de-Neve ou a repressão cruel que haviam acabado de ver. Nos velhos tempos, houve com frequência cenas de derramamento de sangue igualmente terríveis, mas parecia a todos eles que era muito pior agora que acontecia entre eles mesmos. Até aquele dia, desde que Jones havia deixado a fazenda, nenhum animal havia matado outro. Nem mesmo um rato havia sido morto. Os animais conseguiram subir na colina onde ficava o moinho de vento inacabado e, unidos por uma vontade conjunta, todos acabaram se deitando, aninhando-se para se aquecer — Quitéria, Maricota, Benjamim, as vacas, as ovelhas e um bando grande de gansos e galinhas — de fato, todos, exceto pela gata, que havia desaparecido de repente logo antes de Napoleão ordenar que os animais se reunissem. Por algum tempo, ninguém disse nada. Apenas Sansão permaneceu em pé. Ele se agitava de um lado para o outro, lançando a longa cauda negra contra as laterais e, de vez em quando, soltava um pequeno relincho de surpresa. Enfim, ele disse:

— Eu não entendo. Eu não teria acreditado que coisas assim poderiam acontecer em nossa fazenda. Deve ser por causa de algum defeito nosso. A solução que vejo é trabalhar mais. De agora em diante, acordarei uma hora inteira mais cedo de manhã.

E ele se afastou em seu trote pesado e seguiu para a pedreira. Ao chegar lá, pegou duas cargas consecutivas de pedras e as arrastou para o moinho de vento antes de se recolher para descansar à noite.

Os animais se amontoavam ao redor de Quitéria, sem falar. A colina onde estavam deitados lhes dava uma perspectiva extensa do campo. A maior parte da Fazenda dos Bichos estava no campo de visão deles — os pastos longos se estendendo até a avenida principal, o campo de feno, o bosque, o açude, os campos arados onde o trigo novo estava grosso e verde, e os telhados vermelhos das construções da fazenda com a fumaça saindo pelas chaminés. Era uma noite clara de primavera. A grama e as moitas explodindo se douravam pelos raios de sol. Nunca a fazenda — e com uma espécie de surpresa lembraram-se de que a fazenda era deles, cada centímetro dela era propriedade deles — parecera-lhes um lugar tão desejável. Conforme Quitéria olhava colina abaixo, seus olhos se encheram de lágrimas. Se ela conseguisse verbalizar seus pensamentos, teria sido para dizer que isso não era o que tinham almejado quando se colocaram a trabalhar anos atrás para a derrubada da raça humana. Essas cenas de terror e assassinato não eram o que ansiavam naquela noite quando o velho Major os agitou para a rebelião. Se, na época, ela pudesse imaginar o futuro, veria uma sociedade de animais libertos da fome e do chicote, todos iguais, cada qual trabalhando com sua própria capacidade, os fortes protegendo os fracos, como ela havia protegido com a perna a ninhada perdida dos patinhos na noite da fala do Major. Em vez disso — ela não sabia por quê —, eles haviam chegado a um período em que ninguém ousava dar opinião, em que ferozes cães rosnando perambulavam por todos os cantos, e em que se via seus camaradas rasgados em picadinhos depois de confessar crimes chocantes. Não houve pensamento de revolução, rebelião ou obediência em sua mente. Ela sabia que, mesmo com o estado das coisas, elas estavam muito melhores do que haviam estado nos dias de Jones e que, antes de tudo, era necessário prevenir a volta dos seres humanos. O que quer que tenha acontecido, ela permaneceria fiel, trabalharia duro, seguiria as ordens que lhe eram dadas e aceitaria a liderança de Napoleão. Mas, ainda assim, não foi para isso que ela e todos os outros animais haviam trabalhado ou criado esperança. Não foi para isso que haviam construído o moinho de vento e encarado as balas da arma de Jones. Esses eram seus pensamentos, apesar de ela não ter palavras para expressá-los.

Enfim, sentindo que assim substituiria as palavras que não conseguia encontrar, ela começou a cantar "Bichos da Inglaterra". Os outros animais sentados ao redor dela entraram e cantaram de ponta a ponta três vezes — muito afinados, mas devagar e enlutados, de uma forma que nunca haviam cantado antes.

Eles tinham acabado de cantar pela terceira vez quando Garganta, acompanhado de dois cães, aproximou-se deles com o ar de ter algo importante a dizer. Ele anunciou que, por um decreto especial do Camarada Napoleão, "Bichos da Inglaterra" havia sido abolida. De agora em diante, era proibido cantar a canção.

Os animais foram pegos de surpresa.

— Por quê? — questionou Maricota.

— Não é mais necessária, camarada — disse Garganta com dureza. — "Bichos da Inglaterra" era a canção da Rebelião. Mas a Rebelião está cumprida agora. A execução dos traidores na tarde de hoje foi seu ato final. Tanto o inimigo interno quanto o externo foram derrotados. Em "Bichos da Inglaterra", nós expressamos nosso desejo por uma sociedade melhor nos dias a seguir. Mas essa sociedade já está estabelecida. Claramente, a canção não tem mais nenhum propósito.

Apesar de estarem assustados, alguns dos animais poderiam ter protestado, mas naquele momento as ovelhas se lançaram em seus balidos costumeiros de "Quatro patas, bom; duas patas, ruim", que seguiu por diversos minutos e colocou um fim à discussão.

Então "Bichos da Inglaterra" não foi mais ouvida. Em seu lugar, Mínimo, o poeta, havia composto outra canção, que começava com:

Ó, *Fazenda dos Bichos,*
Fazenda dos Bichos, ó
Dos malfeitores, defenderei sem dó!

E isso era cantado todos os domingos de manhã depois do hastear da bandeira. De algum modo, entretanto, para os animais nenhuma das palavras, tampouco a melodia, parecia chegar perto de "Bichos da Inglaterra".

CAPÍTULO 8

Poucos dias depois, quando o terror causado pelas execuções havia diminuído, alguns dos animais se lembravam — ou pensavam se lembrar — de que o Sexto Mandamento decretava "Nenhum animal matará outro animal". E, apesar de ninguém querer tocar no assunto devido à possibilidade de cães ou porcos ouvirem, sentia-se que os assassinatos que haviam ocorrido não combinavam com isso. Quitéria pediu a Benjamim que lesse o Sexto Mandamento, e quando ele, de costume, disse que se negava a se meter em questões assim, ela buscou Maricota, que leu o mandamento para ela. Dizia: "Nenhum animal matará outro animal *sem causa*". De uma forma ou de outra, as últimas duas palavras haviam escapado da memória dos animais. Mas eles viam agora que o mandamento não havia sido violado; pois claramente existia um bom motivo para matar os traidores que haviam se aliado a Bola-de-Neve.

Ao longo do ano, os animais trabalharam ainda mais que no período anterior. Reconstruir o moinho de vento, com paredes duas vezes mais grossas que antes, terminar até a data definida, além do trabalho costumeiro da fazenda, era tudo tremendamente trabalhoso. Houve momentos em que pareceu aos animais que eles trabalhavam mais tempo e não comiam melhor do que nos dias com Jones. Nas manhãs de domingo, Garganta, segurando uma longa tira de papel com a pata, lia em voz alta listas de números que provavam que a produção de todas as classes de comida havia aumentado em 200%, 300% ou 500%, conforme o caso. Os animais não viam motivo para desconfiar dele em especial, já que não conseguiam se lembrar com muita clareza de quais eram as condições antes da Rebelião. Ao mesmo tempo, havia dias em que preferiam ouvir números menores e mais comida.

Todas as ordens agora eram dadas por meio de Garganta ou algum dos outros porcos. O próprio Napoleão não era visto em público com a frequência de outrora. Quando ele de fato aparecia, estava acompanhado não apenas de sua comitiva de cães, mas por um galo negro que marchava à sua frente e agia como uma espécie de trompetista, soltando um "cocoricó" alto antes de Napoleão falar. Até mesmo na casa-grande, dizia-se, Napoleão habitava recintos separados dos outros. Ele comia suas refeições sozinho, com dois cães para servi-lo, e sempre na porcelana de jantar da marca Crown Derby, que ficava na cristaleira da sala de estar. Anunciou-se também que a arma seria disparada todos os anos no aniversário de Napoleão, assim como nos outros dois aniversários.

Agora, não mais se referia a Napoleão como "Napoleão". Ele era sempre mencionado no estilo formal de "Nosso Líder, Camarada Napoleão", e os porcos gostavam de inventar para ele títulos como Pai de Todos os Animais, o Terror da Raça Humana, Protetor do Rebanho, Amigo dos Patinhos e assim por diante. Em seus discursos, Garganta falava com lágrimas descendo no rosto a respeito de como Napoleão era sábio e do amor profundo que ele tinha por todos os animais de todos os lugares, até mesmo, e em especial, os animais infelizes que ainda viviam em ignorância e escravidão em outras fazendas. Havia se tornado costumeiro dar a Napoleão o crédito por todas as conquistas bem-sucedidas e todos os lapsos de boa sorte. Com frequência, ouvia-se uma galinha dizer a outra:

— Sob a guia de nosso Líder, Camarada Napoleão, eu coloquei cinco ovos em seis dias.

Ou também duas vacas, apreciando água no açude, exclamando:

— Graças à liderança do Camarada Napoleão, como é excelente o sabor dessa água!

O sentimento geral da fazenda estava bem dito em um poema intitulado "Camarada Napoleão", que foi composto por Mínimo, e que seguia assim:

Amigo dos órfãos!
Fonte de alegria!
Padroeiro do balde de lavagem! Oh, Minh'alma arde
Em chamas quando vislumbro teu
Olhar calmo e imponente,
Como o sol no poente,
Camarada Napoleão!
Tu és o que dá
Tudo aquilo que tuas criaturas amam,
Barriga cheia duas vezes ao dia, palha limpa onde se refestelar;
Cada animal, grande ou pequeno,
Tem seu lugar, sua paz e seu feno,
Tu nos cuidas, sereno,
Camarada Napoleão!
Se eu tivesse um leitão,
Antes mesmo de crescer num barrão,
Antes de ser um barril ou garrafão,
Ele aprenderia, ao ouvir,
Seria fiel e verdadeiro a ti,
Sim, seu primeiro guincho a dizer
"Camarada Napoleão!"

Napoleão aprovou o poema e o fez ser inscrito na parede do grande galpão, do outro lado dos Sete Mandamentos. Foi sobreposto com um retrato de Napoleão, de perfil, executado por Garganta em tinta branca.

Enquanto isso, sob agenciamento de Whymper, Napoleão havia se envolvido em negociações complicadas com Frederick e Pilkington. A pilha de lenha ainda estava por vender. Dos dois, Frederick estava mais ansioso em pôr as mãos nela, mas não oferecia um preço razoável. Ao mesmo tempo, houve rumores novos de que Frederick e seus homens estavam planejando atacar a Fazenda dos Bichos e destruir o moinho de vento, cuja construção havia despertado ciúmes furiosos nele. Sabia-se que Bola-de-Neve ainda estava oculto na Fazenda Pinchfield. No meio do verão, os animais se alarmaram ao ouvir que três galinhas haviam se revelado e confessado que, inspiradas por Bola-de-Neve, tinham conspirado para assassinar Napoleão. Foram executadas de imediato, e novas precauções pela segurança de Napoleão foram tomadas. Quatro cães guardavam sua cama à noite, um em cada canto, e um jovem porco chamado Rosito foi incumbido de provar toda a sua comida antes que ele a comesse, para verificar se não estava envenenada.

Nesse mesmo período, anunciou-se que Napoleão havia combinado de vender a pilha de lenha para sr. Pilkington; ele também entraria em um acordo regular em troca de certos produtos entre a Fazenda dos Bichos e Foxwood. As relações entre Napoleão e Pilkington, apesar de serem apenas conduzidas por Whymper, agora eram quase amistosas. Os animais desconfiavam de Pilkington como um ser humano, mas o preferiam imensamente a Frederick, o qual eles tanto temiam quanto odiavam. Conforme o verão seguiu, e o término do moinho de vento se aproximou, os rumores de um ataque traiçoeiro iminente ficaram cada vez mais fortes. Frederick, dizia-se, pretendia atacar com vinte homens, todos armados com espingardas, e ele já havia subornado os magistrados e a polícia para que, se ele eventualmente conseguisse pôr as mãos na escritura da propriedade da Fazenda dos Bichos, ninguém fizesse perguntas. Além disso, histórias terríveis vinham de Pinchfield a respeito das crueldades que Frederick praticava com os animais. Ele havia açoitado um cavalo velho até a morte, matava as vacas de fome, tinha matado um cão jogando-o na fornalha, entretinha-se à noite forçando os galos em rinhas, cada um deles com estilhaços de lâmina de barbear na espora. O sangue dos animais fervia de raiva quando ouviam contar essas coisas sendo feitas a seus camaradas e, às vezes, clamavam poder sair em bando e atacar a Fazenda Pinchfield, expulsar os humanos e libertar os animais. Mas Garganta os aconselhava a evitar decisões precipitadas e a confiar na estratégia do Camarada Napoleão.

Ainda assim, o sentimento contra Frederick continuou a circular com força. Em uma manhã de domingo, Napoleão apareceu no galpão e explicou que nunca havia, em momento algum, cogitado vender a lenha para Frederick; considerava ser abaixo de sua dignidade, ele disse, fazer negócios com gentalha daquele nível. Os pombos que ainda eram enviados para espalhar notícias da Rebelião estavam proibidos de colocar os pés em qualquer parte de Foxwood e também foram ordenados a mudar seu slogan de "Morte à humanidade!" para "Morte a Frederick!". No fim do ano, mais uma das maquinações de Bola-de--Neve foi exposta. A lavoura de trigo estava cheia de joio e descobriu-se que, em uma de suas visitas noturnas, Bola-de-Neve havia misturado sementes de joio com as de trigo. Um ganso que soubera do conluio confessou sua culpa a Garganta e, de imediato, cometeu suicídio engolindo frutinhas fatais de erva-moura. Os animais também descobriram que Bola-de-Neve nunca — como muitos haviam acreditado até aquele ponto — recebeu a comenda "Herói Animal, Primeira Classe". Isso era apenas uma lenda que foi espalhada algum tempo depois da Batalha do Estábulo pelo próprio Bola-de-Neve. Tão longe de haver sido condecorado, ele fora repreendido por mostrar covardia na batalha. Mais uma vez, alguns dos animais ouviram isso com certa descrença, mas Garganta logo conseguiu convencê-los de que a culpa era de suas memórias.

No outono, depois de um tremendo esforço exaustivo — pois a colheita teve de ser feita quase que simultaneamente —, o moinho de vento foi concluído. O maquinário ainda precisava ser instalado, e Whymper estava negociando a compra, mas a estrutura estava completa. Atravessando todas as dificuldades, apesar da falta de experiência, dos implementos primitivos, da má sorte e da vilania de Bola-de-Neve, o trabalho fora terminado pontualmente, no exato dia! Cansados, mas orgulhosos, os animais deram voltas e voltas em torno da sua obra-prima, que parecia ser ainda mais linda a seus olhos do que quando fora construída pela primeira vez. Além disso, as paredes eram duas vezes mais grossas que antes. Nada que não fosse explosivo o derrubaria desta vez! E quando pensaram em como haviam trabalhado, nos abatimentos que superaram e na diferença enorme que faria em suas vidas quando as pás estivessem girando e os dínamos se movendo — quando pensavam em tudo isso —, a exaustão os abandonava e eles saltavam, pulavam e davam voltas ao redor do moinho de vento, soltando gritos de triunfo. O próprio Napoleão, acompanhado de seus cães e galo, veio inspecionar o trabalho completo; ele próprio parabenizou os animais pela conquista e anunciou que o moinho se chamaria Moinho Napoleão.

Dois dias depois, os animais foram chamados para um encontro especial no galpão. Eles foram atingidos por um baque de surpresa quando Napoleão anunciou que havia vendido a pilha de lenha para Frederick. No dia seguinte, as carretas de Frederick chegariam e começariam a levá-la embora. Ao longo de todo o período de sua amizade aparente com Pilkington, Napoleão na verdade estivera em acordos com Frederick.

Todas as relações com Foxwood haviam se rompido; mensagens insultantes foram enviadas a Pilkington. Os pombos foram ordenados a evitar a Fazenda Pinchfield e alterar o slogan "Morte a Frederick!" para "Morte a Pilkington!". Ao mesmo tempo, Napoleão garantiu aos animais que as histórias de um ataque iminente à Fazenda dos Bichos eram inverdades completas, e que os contos a respeito da crueldade de Frederick com seus próprios animais haviam sido de um exagero tremendo. Todos esses rumores haviam provavelmente se originado com Bola-de-Neve e seus comparsas. Agora, parecia que Bola-de-Neve não estava, afinal de contas, escondendo-se em Pinchfield, e na verdade nunca havia estado lá em toda sua vida: ele estava vivendo — em luxo considerável, dizia-se — em Foxwood e era sustentado por Pilkington fazia anos.

Os porcos estavam estáticos com a astúcia de Napoleão. Parecendo ser amistoso com Pilkington, ele havia forçado Frederick a aumentar seu preço em doze libras. Mas a qualidade superior da inteligência de Napoleão, disse Garganta, revelou-se no fato de que ele não confiava em ninguém, nem mesmo em Frederick. Este quis pagar pela lenha com algo chamado *cheque*, que parecia ser um pedaço de papel com uma promessa de pagamento escrita. Mas Napoleão era inteligente demais. Ele havia demandado pagamento em notas reais de cinco libras, que deveriam ser entregues antes de a lenha ser removida. Frederick já havia pagado; e o valor era a quantia exata para comprar o maquinário do moinho de vento.

A lenha foi levada embora rapidamente. Quando tudo foi retirado, outro encontro especial ocorreu no galpão para os animais inspecionarem as notas bancárias de Frederick. Sorrindo beatífico e arrumado com suas duas condecorações, Napoleão repousava em uma cama de palha sobre a plataforma, com o dinheiro ao seu lado, empilhado em um prato de porcelana da cozinha da casa-grande. Os animais se enfileiraram e passaram devagar, cada um tomando o tempo necessário. Sansão meteu seu focinho para cheirar as notas bancárias, e elas se agitaram e mexeram sob sua respiração.

Três dias depois, houve um alvoroço terrível. Whymper, com um rosto fatalmente pálido, disparou com sua bicicleta na estradinha de entrada, lançou-a no quintal e correu direto para a casa-grande. No momento seguinte, um bramido sufocado de raiva ecoou dos recintos de Napoleão. A notícia do que havia acontecido se espalhou pela fazenda como fogo de palha. As notas eram falsificadas! Frederick conseguiu a lenha de graça!

Napoleão reuniu os animais de imediato e, em uma voz terrível, jurou sentença de morte a Frederick. Quando capturado, ele disse, Frederick seria fervido vivo. Ao mesmo tempo, ele os alertou que, depois de seu feito traiçoeiro, deveriam esperar o pior. Frederick e seus homens poderiam fazer o ataque muito aguardado a qualquer momento. Colocaram sentinelas em todas as entradas da fazenda. Além disso, quatro pombos foram enviados para Foxwood com uma mensagem conciliatória, que se esperava que pudesse reestabelecer boas relações com Pilkington.

Logo na manhã seguinte veio o ataque. Os animais estavam no café da manhã quando os vigias entraram correndo com a notícia de que Frederick e seus seguidores já haviam atravessado a porteira de cinco barras. Com ousadia, os animais avançaram para encontrá-los, mas desta vez não conquistaram a vitória fácil da Batalha do Estábulo. Havia quinze homens, com uma meia dúzia de armas, e eles abriram fogo assim que se encontraram a um raio de cinquenta metros de distância. Os animais não conseguiam encarar as explosões terríveis e a saraivada ardida, e, apesar dos esforços de Napoleão e Sansão para motivá-los a lutar, eles logo retrocederam. Muitos deles já estavam feridos. Refugiaram-se nas construções da fazenda e espiaram com cuidado pelas rachaduras e pelos buracos. Todo o grande pasto, até mesmo o moinho de vento, estava nas mãos do inimigo. Por um momento, até Napoleão pareceu estar perdido. Ele andava para cima e para baixo sem palavra alguma, a cauda rígida e retorcida. Olhares de esguelha eram lançados na direção de Foxwood. Se Pilkington e seus homens os ajudassem, o dia ainda poderia ser vitorioso. Mas naquele momento os quatro pombos, que haviam sido enviados na véspera, voltaram, e um deles estava com um pedaço de papel de Pilkington. Nele, estava escrito a lápis a palavra "Bem-feito".

Enquanto isso, Frederick e seus homens haviam parado ao redor do moinho de vento. Os animais os assistiram, e um murmúrio de desânimo circulou. Dois dos homens haviam arranjado um pé de cabra e um malho. Eles iam derrubar o moinho.

— Impossível! — gritou Napoleão. — Nós construímos paredes grossas demais para isso. Eles não conseguiriam derrubar nem em uma semana. Coragem, camaradas!

Benjamim assistia aos movimentos dos homens com atenção. Os dois com o martelo e o pé de cabra estavam fazendo um buraco perto da base do moinho. Devagar, e com um ar quase de divertimento, Benjamim meneou seu longo focinho.

— Era o que eu pensava — ele disse. — Vocês não veem o que estão fazendo? Em mais um instante, eles vão enfiar pólvora naquele buraco.

Apavorados, os animais esperaram. Era impossível ousar sair do abrigo. Depois de alguns minutos, os homens foram vistos correndo em todas as direções. Então, houve um bramido ensurdecedor. Os pombos giraram no ar, e todos os animais, exceto Napoleão, lançaram-se no chão e esconderam a barriga. Quando levantaram, uma nuvem imensa de fumaça preta subia de onde o moinho de vento estava. Devagar, a brisa a afastou. O moinho de vento havia deixado de existir!

Ante essa visão, os animais retomaram a coragem. O medo e o desespero que haviam sentido um momento antes foram afogados em sua raiva pelo ato vil e desprezível. Um grito poderoso por vingança subiu e, sem esperar por mais ordens, eles avançaram, formando um único corpo, e foram diretamente ao inimigo. Dessa vez não fugiram das balas que iam na direção deles como granizo. Foi uma amarga e selvagem batalha. Os homens atiraram de novo e de novo e, quando os animais chegaram perto, lançaram-se com seus tacos e botinas pesadas. Uma vaca, três ovelhas e dois gansos foram mortos, e quase todos foram feridos. Até mesmo Napoleão, que dirigia as operações da retaguarda, teve a ponta do rabicho lascada por um balote. Mas tampouco os homens saíram incólumes. Três deles tiveram as cabeças quebradas por patadas dos cascos de Sansão; outro foi chifrado na barriga por uma vaca; outro teve as calças quase arrancadas por Lulu e Branca. E quando os nove cães da segurança particular de Napoleão — os quais ele instruíra para fazer um desvio sob proteção de arbustos — apareceram de surpresa nos flancos dos homens, latindo em fúria, o pânico tomou conta deles. Eles viram que estavam sob risco de serem cercados. Frederick gritou para os homens saírem enquanto podiam e, no momento seguinte, o inimigo covarde corria para salvar a própria pele. Os animais os perseguiram até o fim do campo e conseguiram dar uns últimos chutes neles quando os forçaram a abrir caminho pela espinhosa sebe de pilriteiro.

Eles haviam vencido, mas estavam cansados e sangrando. Devagar, começaram a mancar de volta para a fazenda. A visão dos camaradas mortos, estendidos pela grama, levou alguns a lágrimas. E, por algum tempo, pararam em silêncio enlutado no local onde o moinho de vento um dia estivera. Sim, estava acabado; restara quase nada do seu trabalho! Até mesmo as fundações estavam destruídas em algumas partes. E, desta vez, na reconstrução, eles não poderiam usar os pedregulhos que despencaram. Agora, os pedregulhos também tinham desaparecido. A força da explosão os havia lançado a centenas de metros de distância. Era como se o moinho de vento nunca houvesse existido.

Conforme se aproximavam da fazenda, Garganta, que estivera — sem explicação alguma — ausente durante a luta, veio saltando na direção deles, balançando sua cauda e brilhando com satisfação. E os animais ouviram, da direção da granja, o troar solene da espingarda.

— Qual o motivo do tiro? — disse Sansão.

— Para celebrar nossa vitória! — gritou Garganta.

— Que vitória? — gritou Sansão. Seus joelhos sangravam, ele perdera uma ferradura, rachara o casco e uma dúzia de chumbinhos havia atingido sua pata traseira.

— Como assim "que vitória", camarada? Não expulsamos nosso inimigo para fora de nosso solo... o solo sagrado da Fazenda dos Bichos?

— Mas eles destruíram o moinho. E nós trabalhamos nele por dois anos!

— De que importa? Construiremos outro moinho. Construiremos seis moinhos, se quisermos. Você não compreende, camarada, a coisa poderosa que fizemos. O inimigo estava a ocupar este exato solo em que estamos parados. E agora, graças à liderança do Camarada Napoleão, nós conquistamos cada centímetro de volta!

— Então conquistamos o que já era nosso — disse Sansão.

— Esta é a nossa vitória — disse Garganta.

Eles mancaram quintal adentro. Os chumbinhos sob a pele de Sansão ardiam dolorosamente. Ele via à sua frente o trabalho pesado de reconstrução do moinho desde a base e, em sua imaginação, já se preparava para a tarefa. Mas, pela primeira vez, ocorreu a ele o fato de que tinha onze anos de idade e que talvez seus grandes músculos não fossem mais exatamente o que haviam sido um dia.

Porém, quando os animais viram a bandeira verde tremulando, ouviram a espingarda atirar de novo — sete vezes no total — e o discurso que Napoleão fez, parabenizando todos pela conduta, pareceu-lhes que, afinal de contas, haviam conquistado uma grande vitória. Os animais mortos em combate receberam um funeral solene. Sansão e Quitéria puxaram a charrete que servia como carro fúnebre, e o próprio Napoleão liderou a caminhada da procissão. Dois dias inteiros foram tirados para as celebrações. Houve canções, discursos, mais tiros de espingarda e o presente especial de uma maçã para cada animal, cinquenta gramas de milho para cada ave e três biscoitos para cada cão. Anunciou-se que a batalha se chamaria Batalha do Moinho de Vento, e que Napoleão havia criado uma nova condecoração, a Ordem da Bandeira Verde, que ele conferira a si mesmo. Com as celebrações gerais, a situação infeliz das notas falsificadas foi esquecida.

Poucos dias depois, os porcos encontraram uma caixa de uísque nos porões da casa-grande. Passara batido na época da primeira tomada da casa. Naquela noite, veio da casa-grande o som de cantos altos, em que — para a surpresa de todos — os trechos de "Bichos da Inglaterra" se misturavam. Por volta das nove e meia, Napoleão, usando um velho chapéu-coco de Jones, foi visto distintamente saindo da porta dos fundos, galopando rápido pelo quintal e desaparecendo dentro da casa de novo. Mas, pela manhã, um silêncio profundo pairava sobre a casa-grande. Nem um porco parecia estar se movendo. Eram quase nove da manhã quando Garganta apareceu, caminhando devagar e com desânimo, os olhos embaçados, a cauda pendurada molenga atrás de si, e com todo o jeito de estar com uma doença séria. Ele reuniu os animais e lhes disse que tinha uma notícia pavorosa para compartilhar. Camarada Napoleão estava morrendo!

Um grito de lamento subiu. Palha foi colocada do lado de fora da casa-grande, e os animais caminhavam na ponta dos pés. Com lágrimas nos olhos, perguntaram um para o outro o que deveriam fazer se o Líder lhes fosse tirado. Circulou um rumor de que Bola-de-Neve havia, no fim das contas, conseguido introduzir veneno na comida de Napoleão. Às onze horas, Garganta surgiu para fazer outro anúncio. Como seu último ato em terra, Camarada Napoleão havia pronunciado um decreto solene: a ingestão de álcool será passível de punição com morte.

Ao pôr do sol, no entanto, Napoleão parecia estar um pouco melhor e, na manhã seguinte, Garganta conseguiu contar a eles que ele estava muito bem e se recuperando. No fim daquele dia, Napoleão estava de volta ao trabalho e, no dia seguinte, descobriu-se que havia instruído Whymper a comprar em Willingdon alguns livretos a respeito de fermentação e destilação. Uma semana depois, Napoleão ordenou que a pequena área atrás do pomar, que havia sido previamente destinada como área para os animais que não tinham mais idade para trabalhar, deveria ser arada. A explicação era de que o pasto estava exaurido e precisava de uma nova semeadura; no entanto, logo ficou claro que Napoleão pretendia semear cevada ali.

Perto dessa época, ocorreu um incidente estranho que nenhum bicho conseguiu entender. Uma noite, por volta da meia-noite, surgiu um ruído alto de choque no quintal, e os animais saíram das baias correndo. Era uma noite iluminada pela lua. Ao pé da parede de fundo do celeiro, onde ficavam escritos os Sete Mandamentos, havia uma escada quebrada em dois pedaços. Garganta, temporariamente aturdido, estava caído junto dela, e ao lado havia uma lanterna, um pincel e um pote de tinta branca virado. De imediato, os cães formaram um círculo ao redor de Garganta e o acompanharam de volta à casa-grande assim que ele se sentiu bem o suficiente para andar. Nenhum dos animais conseguiu formar uma ideia do que isso queria dizer, exceto pelo velho Benjamim, que meneou o focinho com um ar sabichão e pareceu entender, mas não diria nada.

Porém, alguns dias depois, Maricota, relendo os Sete Mandamentos para si mesma, notou que havia mais um item de que os animais se lembravam incorretamente. Eles haviam pensado que o Quinto Mandamento era "Nenhum animal beberá álcool", mas havia duas palavras que haviam esquecido. Na verdade, o mandamento determinava: "Nenhum animal beberá álcool em excesso".

CAPÍTULO 9

O casco rachado de Sansão demorou muito tempo para sarar. Eles haviam começado a reconstruir o moinho de vento no dia seguinte às celebrações da vitória. Sansão se recusou a tirar um único dia de folga que fosse e, por honra, fez questão de que nenhum bicho visse que ele tinha dor. À noite, ele admitia em particular a Quitéria que o casco o incomodava muito. Quitéria tratava do casco com cataplasmas de ervas que ela preparava mascando-as, e tanto ela quanto Benjamim imploravam a Sansão que trabalhasse menos.

— Os pulmões de um cavalo não duram para sempre — ela lhe disse.

Mas Sansão não ouvia. Ele dizia que ainda lhe restava uma única ambição: ver o moinho de vento funcionando bem antes que ele alcançasse a idade de se aposentar.

No começo, quando as leis da Fazenda dos Bichos foram formuladas pela primeira vez, a idade de aposentadoria havia sido fixada aos doze anos para cavalos e porcos, catorze para vacas, nove para cães, sete para ovelhas e cinco para galinhas e gansos. Concordou-se com pensões generosas para esses animais. Até o momento, nenhum animal havia de fato se aposentado com uma pensão, mas recentemente o assunto era discutido mais e mais. Agora que o pequeno terreno atrás do pomar havia sido separado para cevada, corria o rumor de que um canto do gramado imenso seria cercado e transformado em um terreno para pasto para os animais jubilados. Para um cavalo, dizia-se, a pensão seria dois quilos e meio de milho por dia e, no inverno, sete quilos e meio de feno com uma cenoura ou possivelmente uma maçã em feriados públicos. O décimo segundo aniversário de Sansão viria no fim do verão do ano seguinte.

Enquanto isso, a vida era difícil. O inverno foi tão difícil quanto o anterior, e faltou mais comida que antes. Mais uma vez, todas as rações foram reduzidas, exceto as dos porcos e dos cães. Uma igualdade muito rígida das rações, explicou Garganta, teria sido contrária aos princípios do Animalismo. De qualquer maneira, ele não tinha dificuldade em provar para os outros animais que eles não estavam, de fato, com pouca comida, quaisquer que fossem as aparências. Por enquanto, de certo, achou-se necessário fazer um reajuste das rações (Garganta sempre falava em termos de "reajuste", nunca de "redução"), mas, em comparação com os dias de Jones, a melhoria era enorme. Lendo os números em uma voz aguda e rápida, ele provou com detalhes que a fazenda obteve mais aveia, mais feno e mais nabos que nos dias com Jones, e eles trabalhavam menos horas, a água potável era de melhor qualidade, viviam mais tempo, uma proporção maior dos recém-nascidos sobrevivia até a idade adulta, tinham mais palha nos estábulos e sofriam menos com moscas. Os animais acreditavam em cada palavra daquilo. Verdade fosse dita, Jones e tudo que ele representava haviam sumido de suas memórias quase por completo. Eles sabiam que a vida naquele momento era árdua e difícil, que com frequência tinham fome e frio, e que, em geral, se não estavam dormindo, estavam trabalhando. Mas sem dúvida havia sido pior nos velhos tempos. Acreditavam naquilo com gosto. Além disso, naqueles dias eles eram escravos, e agora eram livres, e isso fazia toda a diferença, como Garganta não deixava de apontar.

Havia muito mais bocas para alimentar agora. No outono, as quatro porcas haviam dado cria quase ao mesmo tempo, produzindo 31 porquinhos no total. Os leitões eram malhados e, já que Napoleão era o único cachaço na fazenda, era fácil imaginar a paternidade. Anunciou-se mais tarde que, quando comprassem os tijolos e as tábuas, uma escola seria construída no jardim da casa-grande. Por enquanto, os leitões seriam instruídos pelo próprio Napoleão na cozinha. Eles se exercitavam no jardim e eram incentivados a evitar brincadeiras com os outros jovens animais. Mais ou menos nessa época estabeleceu-se que, quando um porco e qualquer outro animal acabassem frente a frente em um caminho, seria o outro animal que daria a passagem; e também que todos os porcos, de qualquer posição, teriam o privilégio de usar laços verdes nas caudas aos domingos.

A fazenda tivera um ano relativamente bem-sucedido, mas ainda tinha pouco dinheiro. Tijolos, areia e cal ainda precisavam ser comprados para a escola, e também seria necessário começar a economizar de novo para o maquinário do moinho. Além disso, precisavam do querosene para as lamparinas e das velas para a casa, açúcar para a própria mesa de Napoleão (ele o proibia aos outros porcos, argumentando que os engordava) e todos os itens de costume, como ferramentas, pregos, corda, carvão, arame, ferro-velho e biscoitos de cachorro. Uma meda de feno e parte da colheita de batata foram vendidas, e o contrato para os ovos aumentou para seiscentos por semana — assim, naquele ano, as galinhas mal puderam chocar pintinhos suficientes para manter os seus números. Rações, reduzidas em dezembro, foram reduzidas de novo em fevereiro e foram proibidas lanternas nas baias para economizar querosene.

Mas os porcos pareciam bastantes confortáveis e, na verdade, estavam ganhando peso. Em uma tarde no fim de fevereiro, um aroma quente e tentador, o qual os animais nunca haviam sentido antes, soprou pelo jardim da pequena cervejaria, que havia caído em desuso na época de Jones, e que ficava um pouco além da cozinha. Alguém disse que era o perfume de cevada cozida. Os animais farejaram o ar com fome e se perguntaram se um creme quentinho estava sendo preparado para o jantar. Mas nenhum creme quentinho apareceu e, no domingo seguinte, anunciou-se que a partir daquele momento toda a cevada seria reservada para os porcos. O campo além do pomar já havia sido semeado com cevada. Logo vazou a notícia de que cada porco estava recebendo uma ração de meio litro de cerveja por dia, e Napoleão recebia meio galão para si, que agora era sempre servido para ele na terrina da baixela de porcelana da marca Crown Derby.

Mas, se havia dificuldades a surgir, elas eram em parte ocasionadas pelo fato de que a vida agora tinha uma dignidade maior do que antes. Havia mais canções, mais discursos, mais procissões. Napoleão havia ordenado que, uma vez por semana, deveria haver algo chamado Demonstração Espontânea, cujo objetivo era celebrar as lutas e os triunfos da Fazenda dos Bichos. No momento determinado, os animais deixavam seu trabalho e marchavam pelos arredores da fazenda em formação militar, com os porcos na liderança, então os cavalos, então as vacas, então as ovelhas, então as aves. Os cães flanqueavam a procissão e, à frente deles, marchava o galo preto de Napoleão. Sansão e Quitéria sempre carregavam uma bandeira verde marcada com a pata e o chifre e a legenda: "Vida longa ao Camarada Napoleão!". Mais tarde, tinham um recital de poemas compostos em honra de Napoleão e um discurso feito por Garganta dando as particularidades dos aumentos mais recentes na produção de alimentos, e, na ocasião, um tiro de espingarda era dado. As ovelhas eram as maiores devotas da Demonstração Espontânea, e se alguém se queixasse (como alguns poucos animais faziam, quando não havia porcos ou cães por perto) que perdiam muito tempo naquilo e que ficavam muito tempo parados no frio, as ovelhas certamente o silenciariam com um balido tremendo de "Quatro pernas, bom; duas pernas, ruim!". Mas, no geral, os animais apreciavam essas celebrações. Eles achavam reconfortante a lembrança de que, no fim das contas, eram verdadeiramente seus próprios mestres e que o trabalho que faziam era para benefício próprio. Assim, com as canções, as procissões, as listas de números de Garganta, o ribombar da espingarda, o cocoricó do galo e o drapejar da bandeira, eles conseguiam esquecer que as barrigas estavam vazias, ao menos por uma parte do tempo.

Em abril, a Fazenda dos Bichos foi proclamada uma República e se tornou necessário eleger um Presidente. Havia apenas um candidato, Napoleão, que foi eleito de forma unânime. No mesmo dia, divulgou-se a descoberta de documentos novos que revelavam mais detalhes da cumplicidade de Bola-de-Neve com Jones. Agora parecia que Bola-de-Neve não havia, como os animais haviam imaginado antes, apenas tentado perder a Batalha do Estábulo como um estratagema, mas estivera lutando ao lado de Jones abertamente. Na verdade, foi ele quem de fato fora o líder das forças humanas e havia atacado em batalhas com as palavras "Vida longa à humanidade!" em seus lábios. As feridas nas costas de Bola-de-Neve, de que alguns poucos animais ainda se lembravam, haviam sido infligidas pelos dentes de Napoleão.

No meio do verão, Moisés, o corvo, reaparecera de repente na fazenda, depois de uma ausência de muitos anos. Ele estava muito parecido: ainda não trabalhava em nada e contava a mesma ladainha de sempre a respeito da Montanha do Açúcar. Ele se empoleirava em um toco de árvore, batia as asas pretas e falava por horas sem fim a qualquer um que ouvisse.

— Lá em cima, camaradas — ele dizia com solenidade, apontando para o céu com o bico imenso —, lá em cima, pouco depois daquela nuvem escura que vocês veem... lá está ela, Montanha do Açúcar, aquela terra feliz onde os pobres animais descansarão para sempre de seus trabalhos!

Ele até mesmo afirmava ter estado lá em alguns de seus voos mais altos e ter visto os campos perpétuos de trevo, os bolos de linhaça e os torrões de açúcar crescendo em arbustos. Muitos dos animais acreditavam nele. Suas vidas, agora, eles raciocinavam, eram de fome e trabalho, mas não era justo que um mundo melhor existisse em outro lugar? Uma coisa que era difícil determinar era a atitude dos porcos com relação a Moisés. Todos eles declaravam com desdém que as histórias a respeito da Montanha do Açúcar eram mentiras e, ainda assim, permitiam que ele permanecesse na fazenda, sem trabalhar, com direito a um copo de cerveja por dia.

Depois de sarar do casco, Sansão trabalhou mais do que nunca. De fato, todos os animais trabalharam como escravos naquele ano. Além do trabalho comum na fazenda e da reconstrução do moinho de vento, houve a casinha para os leitões, iniciada em março. Às vezes era difícil suportar as muitas horas com comida insuficiente, mas Sansão nunca fraquejava. Nada que ele dizia ou fazia mostrava qualquer sinal de que sua força não era o que parecia. Era apenas a sua aparência que estava um pouco alterada, seu pelo estava menos brilhante do que de costume, e suas grandes ancas pareciam ter murchado. Os outros diziam: "Sansão vai se recuperar quando a grama de primavera chegar", mas veio a primavera e Sansão não ganhou peso. Às vezes, na colina que dava para o topo da pedreira, quando ele forçava os músculos contra o peso de alguma pedra imensa, parecia que nada o mantinha em pé, exceto a vontade de continuar. Em momentos assim, parecia que seus lábios formavam as palavras "Eu vou trabalhar mais", porém ele não tinha mais voz. Mais uma vez, Quitéria e Benjamim o alertaram para cuidar da saúde, mas Sansão não prestou atenção. Seu décimo segundo aniversário se aproximava. Ele não ligava para o que acontecesse desde que um bom estoque de pedra fosse acumulado antes de ele partir para a aposentadoria.

Mais tarde, em uma noite de verão, correu pela fazenda um boato súbito de que algo havia acontecido com Sansão. Ele havia saído para arrastar um monte de pedregulhos para o moinho de vento. E, quem diria, o boato era verdade. Poucos minutos depois, dois pombos vieram depressa com as notícias:

— Sansão caiu! Ele está deitado de lado e não consegue se levantar!

Cerca de metade dos animais da fazenda se apressou para a pequena colina onde o moinho de vento estava. Lá estava Sansão, entre os eixos da carroça, o pescoço estendido, incapaz de sequer levantar a cabeça. Seus olhos estavam vidrados, seu rosto molhado de suor. Um filete fino de sangue corria de sua boca. Quitéria caiu de joelhos ao lado dele.

— Sansão! — ela gritou. — Você está bem?

— É meu pulmão — disse Sansão com voz fraca. — Não importa. Acho que vocês vão conseguir o moinho de vento sem mim. Há uma boa pilha de pedras acumuladas. Eu tinha só mais um mês de trabalho, de qualquer forma. Para dizer a verdade, eu estava ansiando por minha aposentadoria. E, como Benjamim está envelhecendo também, talvez eles o deixem se aposentar para me fazer companhia.

— Precisamos conseguir ajuda de imediato — disse Quitéria. — Corram e contem a Garganta o que houve.

De imediato, todos os animais correram de volta para a casa-grande para dar a notícia a Garganta. Ficaram para trás apenas Quitéria e Benjamim, que se deitou ao lado de Sansão e, sem falar nada, manteve as moscas longe dele com sua cauda longa. Cerca de quinze minutos depois, Garganta apareceu, cheio de simpatia e preocupação. Ele disse que Camarada Napoleão estava abaladíssimo com a informação da infelicidade de um dos trabalhadores mais leais da fazenda e já estava tomando providências para enviar Sansão para tratamento no hospital em Willingdon. Os animais se sentiram um pouco inseguros com isso. Exceto por Mimosa e Bola-de-Neve, nenhum outro animal deixara a fazenda, e os bichos não gostavam de pensar em seu camarada adoecido nas mãos de seres humanos. No entanto, Garganta os convenceu com facilidade de que o cirurgião veterinário em Willingdon poderia tratar o caso de Sansão de forma mais qualificada do que aquilo que poderia ser feito na fazenda. Cerca de meia hora depois, quando havia se recuperado de leve, Sansão ficou em pé com dificuldade e conseguiu mancar de volta para sua baia, onde Quitéria e Benjamim haviam preparado um bom leito de palha para ele.

Nos dois dias seguintes, Sansão permaneceu em sua baia. Os porcos haviam enviado uma garrafa grande de um medicamento cor-de-rosa que encontraram no armarinho de remédios do banheiro, e Quitéria o administrava a Sansão duas vezes por dia depois das refeições. À noite, ela se deitava em sua baia e falava com ele, enquanto Benjamim afastava as moscas dele. Sansão professava não sentir remorso pelo que acontecera. Se ele se recuperasse bem, poderia viver mais três anos, e ansiava pelos dias pacíficos que passaria no canto do grande pasto. Seria a primeira vez que teria tempo livre para estudar e afiar sua mente. Ele pretendia, dissera, devotar o resto de sua vida a aprender as vinte e duas letras restantes do alfabeto.

No entanto, Benjamim e Quitéria só podiam ficar com Sansão depois da jornada de trabalho, e foi durante o dia que o carroção veio buscá-lo. Os animais todos estavam no trabalho, colhendo nabos sob a supervisão de um porco, e ficaram surpresos quando viram Benjamim surgir galopando da direção das casas da granja, bramando com toda a sua voz. Foi a primeira vez que viram Benjamim cheio de energia — de fato, era a primeira vez que alguém via Benjamim galopar.

— Rápido, rápido! — ele gritou. — Venham agora! Estão levando Sansão!

Sem esperar por ordens do porco, os animais pararam as atividades e correram de volta para as construções da fazenda. Dito e feito, no pátio havia um grande carroção fechado, puxado por dois cavalos, com letras na lateral e um homem com ar astuto e traiçoeiro de chapéu-coco com a aba baixa sentado na boleia. E a baia de Sansão estava vazia. Os animais se juntaram ao redor do carroção.

— Adeus, Sansão! — disseram em coro. — Até logo!

— Tolos! Tolos! — gritou Benjamim, saltando ao redor deles e pisoteando o chão com seus cascos pequenos. — Tolos! Não estão vendo o que está escrito na lateral do carroção?

Isso fez os animais pararem, e um burburinho subiu. Maricota começou a soletrar as palavras, mas Benjamim a empurrou para o lado e, no meio de um silêncio terrível, leu:

— "Alfred Simmonds, Abatedouro de Cavalos e Fabricante de Cola, Willingdon. Peles e Farinhas de Ossos. Fornecemos para Canis." Vocês não entendem o que isso quer dizer? Estão mandando Sansão para o matadouro!

Um grito de horror explodiu de todos os animais. Neste momento, o homem no carroção açoitou os cavalos, e o carroção saiu do quintal com um trote rápido. Todos os animais seguiram, gritando com toda a voz. Quitéria abriu caminho para a frente. O carroção começou a ganhar velocidade. Ela tentou agitar seus membros fortes a ponto de um galope e pegou ritmo.

— Sansão! — ela gritou. — Sansão! Sansão! Sansão!

Nesse exato momento, como se tivesse escutado o alvoroço do lado de fora, o rosto de Sansão, com a listra branca até o nariz, apareceu na janelinha no fundo do carroção.

— Sansão! — gritou Quitéria em uma voz terrível. — Sansão! Saia! Saia rápido! Estão levando você para o abate!

Todos os animais ecoaram o grito de: "Saia, Sansão, saia!", mas o carroção já estava acelerando e se afastando deles. Não ficou claro se Sansão entendeu o que Quitéria dissera. Mas um momento depois seu rosto desapareceu da janela e houve um som de batuque tremendo de dentro do carroção. Ele estava tentando sair aos chutes. Foi-se o tempo em que alguns chutes dos cascos de Sansão teriam derrubado um veículo em pedacinhos. Mas sua força o havia abandonado e, em poucos instantes, o som de cascos batucando ficou mais fraco até sumir. Em desespero, os animais começaram a apelar para os dois cavalos que carregavam o carroção a parar.

— Camaradas, camaradas! — eles gritaram. — Não levem seu próprio irmão para a morte!

Mas os brutos imbecis, ignorantes demais para se dar conta do que acontecia, mal moveram as orelhas e aceleraram o passo. O rosto de Sansão não reapareceu na janela. Alguém pensou em correr na frente e fechar a porteira de cinco barras, mas era tarde demais; o carroção passava rápido por ela e desaparecia pela estrada. Sansão nunca mais foi visto.

Três dias depois, anunciou-se que ele havia falecido no hospital em Willingdon, apesar de receber toda a atenção que um cavalo poderia receber. Garganta veio anunciar as notícias aos outros. Ele estivera, disse, presente nas últimas horas de Sansão.

— Foi a coisa mais comovente que já vi! — disse Garganta, erguendo a pata e secando uma lágrima. — Eu estava no seu leito de morte até o fim. E, no momento final, quase fraco demais para falar, ele sussurrou ao pé do meu ouvido que seu único arrependimento era morrer sem ver o moinho de vento pronto. "Em frente, camaradas", ele sussurrou para mim. "Em frente e em nome da Rebelião. Vida longa à Fazenda dos Bichos! Vida longa ao Camarada Napoleão! Napoleão está sempre certo!". Essas foram suas últimas palavras, camaradas.

Nesse ponto, a postura de Garganta mudou de súbito. Ele ficou em silêncio por um instante e os seus olhinhos dispararam miradas suspeitas de um lado a outro antes de prosseguir.

Chegou a ele a informação, ele disse, de que um rumor tolo e cruel havia circulado na época da internação de Sansão. Alguns dos animais haviam notado que no carroção que levou Sansão estava escrito "Abatedouro de Cavalos" e chegaram à conclusão de que Sansão estava sendo levado para o matadouro. Era quase inacreditável, Garganta disse, que qualquer animal pudesse ser tão idiota. Com certeza, ele gritou com indignação, balançando a cauda e saltando de um lado para o outro, com certeza eles conheciam seu amado Líder, Camarada Napoleão, o suficiente para não pensar isso. Mas a explicação era, na verdade, muito simples. O carroção fora anteriormente propriedade do matadouro e havia sido comprado pelo cirurgião veterinário, que ainda não havia pintado por cima do nome antigo. Foi assim que a confusão surgiu.

Os animais se sentiram imensamente aliviados ao ouvirem isso. E quando Garganta seguiu em frente para dar mais detalhes bastante gráficos do leito de morte de Sansão, do cuidado admirável que ele recebera e dos remédios caros pelos quais Napoleão pagara sem sequer pensar duas vezes no gasto, as dúvidas finais desapareceram, e a angústia que sentiam pela morte de seu camarada foi aliviada pelo entendimento de que ao menos ele morrera feliz.

O próprio Napoleão apareceu na reunião da manhã de domingo seguinte e fez uma oração breve em honra de Sansão. Não fora possível, ele disse, trazer de volta os restos de seu pobre camarada para serem enterrados na fazenda, mas ele ordenara que se fizesse uma grande coroa com os louros do jardim da casa-grande e que fosse colocada no túmulo de Sansão. E, alguns dias depois, os porcos planejavam fazer um banquete em memória de

Sansão. Napoleão terminou seu discurso com uma lembrança das duas máximas favoritas de Sansão: "Vou trabalhar mais!" e "Camarada Napoleão está sempre certo!". Eram máximas, ele disse, que todos os animais deveriam adotar como suas próprias.

No dia planejado para o banquete, a carroça de um mercador subiu de Willingdon e entregou uma grande caixa de madeira na casa-grande. Naquela noite, veio o som de cantos altos, que foi seguido do que parecia ser uma briga violenta, e terminou cerca de onze da noite com o som de uma tremenda quebra de vidro. Ninguém se moveu na casa-grande até o meio-dia seguinte, e circulou o boato de que, de algum lugar ou outro, os porcos haviam conseguido dinheiro para comprar outra caixa de uísque para si próprios.

CAPÍTULO 10

Passaram-se anos. As estações vieram e foram, as curtas vidas dos animais passaram voando. Chegou um momento em que não havia mais ninguém que se lembrasse dos velhos tempos antes da Rebelião, exceto por Quitéria, Benjamim, Moisés, o corvo, e vários porcos.

Maricota havia morrido; Branca, Lulu e Cata-Vento haviam morrido. Jones também havia morrido — ele se foi em um asilo para viciados em outra parte do país. Bola-de-Neve estava esquecido. Sansão estava esquecido, exceto pelos poucos que o haviam conhecido. Quitéria era uma velha égua robusta agora, com juntas endurecidas e uma tendência à remela nos olhos. Ela tinha dois anos acima da idade de aposentaria, mas, na verdade, nenhum animal havia de fato se aposentado. A conversa de separar um canto do pasto para os animais jubilados havia sido abandonada há muito tempo, Napoleão agora era um jarrão de 150 quilos. Garganta estava tão gordo que mal conseguia abrir os olhos. Apenas o velho Benjamim estava mais ou menos o mesmo que antes, exceto por um pouco mais de pelos brancos ao redor do focinho e, desde a morte de Sansão, mais melancólico e taciturno que nunca.

Havia muito mais criaturas na fazenda, embora o aumento não fosse tão grande quanto o esperado nos primeiros anos. Tinham nascido muitos animais, para quem a Rebelião era apenas uma tradição fraca, passada boca a boca, e os outros bichos haviam sido comprados, por isso nunca haviam ouvido falar de algo assim desde antes de sua chegada. A fazenda tinha três cavalos agora, além de Quitéria. Eles eram belos animais aprumados, trabalhadores, dispostos e bons camaradas, mas muito burros. Nenhum deles se mostrou capaz de aprender o alfabeto além da letra B. Eles aceitavam tudo que lhes era dito sobre a Rebelião e os princípios do Animalismo, em especial de Quitéria, por quem tinham um respeito quase filial, mas era duvidoso se entendiam muito daquilo.

A fazenda estava mais próspera agora e mais bem organizada: ela havia inclusive sido aumentada em dois tratos comprados do sr. Pilkington. O moinho de vento havia enfim sido concluído com sucesso, a granja tinha uma debulhadora e um elevador de feno próprio, e várias construções novas foram acrescentadas. Whymper comprara uma charrete para si. O moinho de vento, no entanto, não fora usado para gerar energia elétrica. Era utilizado para moer milho, trazendo um bom lucro em dinheiro. Os animais estavam trabalhando arduamente para construir outro moinho; quando este fosse terminado, dizia-se, os dínamos seriam instalados. Mas não se falava mais dos luxos que Bola-de-Neve um dia ensinara os animais a sonhar: as baias com energia elétrica e água quente e fria, além da semana de três dias. Napoleão havia denunciado tais ideias como contrárias ao espírito do Animalismo. A felicidade mais verdadeira, ele disse, estava em trabalhar duro e viver com frugalidade.

De algum modo, parecia que a fazenda enriquecera sem fazer os animais em si mais ricos — exceto, é claro, pelos porcos e cães. Talvez porque, em parte, havia tantos porcos e tantos cães. E eles trabalhavam, do seu próprio jeito. Havia, como Garganta nunca cansava de explicar, trabalho sem fim na supervisão e organização da fazenda. Muito desse trabalho era de um tipo que os outros animais eram ignorantes demais para entender. Por exemplo, Garganta contou a eles que os porcos haviam passado imensas horas de trabalho todos os dias em coisas misteriosas como "arquivos", "relatórios", "minutas" e "memorandos". Eram grandes folhas de papel que tinham de ser preenchidas cuidadosamente com palavras escritas e, assim que estivessem totalmente preenchidas, eram queimadas na fornalha. Isso era da maior importância para o bem-estar da fazenda, Garganta dizia. Mas, ainda assim, nem porcos ou cães produziam qualquer alimento com seu trabalho próprio; e havia muitos deles, e seus apetites eram sempre grandes.

Quanto aos outros, sua vida, até onde sabiam, estava como sempre estivera. Eles estavam em geral com fome, dormiam em palha, bebiam do açude e trabalhavam nos campos; no inverno, eles se incomodavam com o frio, e no verão, com as moscas. Às vezes, os mais velhos entre eles reviravam suas memórias ofuscadas e tentavam determinar se no começo da Rebelião, quando a expulsão de Jones ainda era recente, as coisas eram melhores ou piores que naquela época. Eles não conseguiam lembrar. Não havia nada com que comparar as vidas presentes: não tinham nada para se basear, exceto pelas listas de números de Garganta, que invariavelmente demonstrava que tudo estava cada vez melhor. Os animais achavam o problema insolúvel; de qualquer modo, tinham pouco tempo para especular coisas assim agora. Apenas o velho Benjamim professava se lembrar de cada detalhe de sua longa vida e saber que as coisas nunca haviam sido, tampouco poderiam ser, muito melhores ou muito piores — fome, dificuldade e frustração eram, ele dizia, a lei inalterável da vida.

Ainda assim, os animais nunca abriram mão da esperança. Mais ainda, eles nunca perderam, nem por um instante, o senso de honra e privilégio por serem membros da Fazenda dos Bichos. Ainda eram a única granja no país inteiro — na Inglaterra inteira — de propriedade e gestão de animais. Nenhum deles, nem mesmo os mais novos, nem mesmo os recém-chegados que haviam sido trazidos de fazendas a quinze ou trinta quilômetros de distância, deixava de se maravilhar com isso. E quando ouviam a espingarda atirar e viam a bandeira verde tremular no mastro, seus corações se enchiam com orgulho imperecível, e as conversas se voltavam sempre para os velhos tempos heroicos: a expulsão de Jones, a escrita dos Sete Mandamentos, as grandes batalhas em que invasores humanos foram derrotados. Nenhum dos velhos sonhos havia sido abandonado. Ainda havia fé na República dos Animais — que o Major havia previsto, onde os campos verdes da Inglaterra não seriam pisados por pés humanos. Um dia, ela viria; poderia não ser logo, poderia nem ser ao longo da vida de qualquer animal vivo naquele momento, mas ainda assim ela viria. Até mesmo a melodia de "Bichos da Inglaterra" talvez fosse cantarolada em segredo aqui e ali: de qualquer forma, era um fato que todos os animais na fazenda a conheciam, apesar de ninguém ousar cantá-la em voz alta. Talvez suas vidas fossem difíceis e aquilo que esperavam não houvesse sido cumprido; mas eles estavam conscientes de que não eram como os outros animais. Se ficassem com fome, não era por alimentar seres humanos tiranos; se trabalhavam muito, ao menos trabalhavam para si mesmos. Nenhuma criatura entre eles andava em duas pernas. Nenhuma criatura chamava qualquer outra criatura de "Mestre". Todos os animais eram iguais.

Certo dia, no começo do verão, Garganta mandou que as ovelhas o seguissem e as liderou para um campo abandonado nos confins da fazenda, que havia sido tomado por vidoeiros. As ovelhas passaram o dia inteiro ali roendo os brotos sob a supervisão de Garganta. À noite, ele voltou para a casa-grande sozinho, mas, como o clima estava quente, mandou que as ovelhas ficassem onde estavam. Acabou que elas permaneceram ali por uma semana inteira, período durante o qual os outros animais não as viram. Garganta passava com elas a maior parte do dia. Ele estava, dizia, ensinando novas canções a elas, atividade que requeria privacidade.

Foi logo depois do retorno das ovelhas, em uma noite agradável depois do turno de trabalho dos animais, quando eles estavam retornando às construções da granja, que um relincho apavorado ressoou pelo quintal. Assustados, os animais pararam no ato. Era a voz de Quitéria. Ela relinchou de novo, e todos os animais partiram a galope e se aproximaram do quintal. Então, eles viram o que Quitéria havia visto.

Era um porco andando em pé, apenas com as patas traseiras.

Sim, era Garganta. Um pouco sem jeito, como se pouco acostumado a apoiar sua robustez considerável naquela posição, mas com equilíbrio perfeito, ele marchava pelo quintal. E um momento depois, saindo da porta da casa, veio uma longa fileira de porcos, todos caminhando nas patas traseiras. Alguns se saíam melhor que outros, um ou dois estavam até um pouco instáveis e parecendo preferir o apoio de uma bengala, mas cada um deles conseguiu dar a volta no quintal. E, enfim, houve o ladrar tremendo de cães, um cocoricó agudo do galo preto e logo se seguiu Napoleão, majestosamente ereto, lançando olhares altivos de um lado a outro, e com os cães saltando ao redor dele.

Ele carregava um chicote na pata dianteira.

Houve um silêncio mortal. Surpresos, apavorados, amontoando-se juntos, os animais olharam a longa fileira de porcos marchar devagar pelo quintal. Era como se o mundo houvesse virado de ponta-cabeça. Então, veio um momento depois do passar do primeiro choque em que, apesar de tudo — apesar de seu terror dos cães e dos hábitos, desenvolvidos ao longo dos anos, de nunca reclamar e nunca criticar, não importando o que acontecesse —, eles poderiam ter pronunciado alguma palavra de protesto. Porém, exatamente naquele momento, como se obedecessem a um sinal, todas as ovelhas começaram com balidos tremendos de:

— Quatro pernas, bom; duas pernas, MELHOR! Quatro pernas, bom; duas pernas, MELHOR! Quatro pernas, bom; duas pernas, MELHOR!

Baliram por cinco minutos sem parar. E, quando as ovelhas já haviam se aquietado, a chance de qualquer oposição havia passado, pois os porcos haviam marchado de volta para a casa-grande.

Benjamim sentiu um focinho acariciando seu ombro. Ele se virou. Era Quitéria. Seus velhos olhos pareciam mais opacos que nunca. Sem dizer qualquer coisa, ela puxou a crina dele e o levou à parede dos fundos do galpão grande, onde os Sete Mandamentos estavam escritos. Por um minuto ou dois, eles ficaram parados olhando a parede alcatroada com letras em tinta branca.

— Minha vista está ruim — ela disse, enfim. — Mesmo quando eu era mais nova, não conseguia ler o que estava escrito ali. Mas me parece que a parede está diferente. Os Sete Mandamentos são o que costumavam ser, Benjamim?

Só uma vez, Benjamim consentiu em quebrar sua regra, e leu para ela o que estava escrito na parede. Não havia nada ali além de um único mandamento, que dizia:

TODOS OS ANIMAIS SÃO IGUAIS
MAS ALGUNS ANIMAIS SÃO MAIS IGUAIS QUE OUTROS.

Depois disso, não pareceu estranho quando, no dia seguinte, os porcos que supervisionavam o trabalho na fazenda carregavam chicotes nas patas. Não pareceu estranho descobrir que os porcos haviam comprado um aparelho de rádio, estavam organizando a instalação de um telefone e tinham assinado jornais e revistas, como *John Bull*, *TitBits* e *Daily Mirror*. Não pareceu estranho quando Napoleão foi visto circulando no jardim da casa-grande com um cachimbo na boca, nem mesmo quando os porcos sacaram as roupas de sr. Jones do armário e as vestiram. O próprio Napoleão apareceu com um casaco preto, calções de caçador e perneiras de couro, enquanto sua porca favorita aparecia no vestido de seda regado que sra. Jones costumava usar aos domingos.

Uma semana depois, à tarde, diversas carroças subiram à fazenda. Uma delegação de fazendeiros vizinhos havia sido convidada a fazer uma visita de inspeção. Conheceram toda a propriedade e expressaram grande admiração por tudo que viram, em especial o moinho de vento. Os animais estavam arrancando ervas daninhas das plantações de nabo. Eles trabalhavam de forma diligente, mal erguendo os rostos do chão, sem saber se deveriam ter mais medo dos porcos ou dos visitantes humanos.

Naquela noite, risadas altas e explosões de cantoria vieram da casa-grande. E, de repente, com o som de vozes se misturando, os animais foram atingidos pela curiosidade. O que poderia estar acontecendo ali, agora que, pela primeira vez, animais e seres humanos estavam se reunindo em termos de igualdade? Com a mesma ideia, todos começaram a espreitar, com o máximo de silêncio que podiam, no jardim da casa-grande.

No portão, pararam, meio assustados de seguir em frente, mas Quitéria liderou a entrada. Eles foram pé ante pé até a casa, e os animais que eram altos o suficiente espiaram pela janela da sala de jantar. Lá dentro, ao redor da mesa longa, estavam sentados meia dúzia de fazendeiros e meia dúzia dos porcos mais eminentes, o próprio Napoleão ocupando o lugar de honra na cabeceira. Os porcos pareciam completamente tranquilos nas cadeiras. Todos estiveram se divertindo com um jogo de cartas, mas haviam interrompido a partida por um momento, evidentemente para fazer um brinde. Um jarro grande circulava, e os canecos estavam sendo enchidos com cerveja. Ninguém notou os rostos curiosos dos animais que espiavam para dentro.

Sr. Pilkington, de Foxwood, havia se levantado, com o caneco em mãos. Em um momento, ele disse que convidaria todos para um brinde. Mas, antes disso, havia algumas palavras que ele sentia ser sua incumbência dizer.

Ele disse que era uma fonte de grande satisfação — e ele tinha certeza de que para todos os outros presentes também — sentir que um período longo de desconfiança e desentendimento havia agora terminado. Houvera um tempo — não que ele ou qualquer um dos presentes tivessem compartilhado tais sentimentos —, mas houvera um tempo em que os respeitáveis proprietários da Fazenda dos Bichos haviam sido vistos, ele não diria com hostilidade, mas talvez com uma certa medida de apreensão, por seus vizinhos humanos. Incidentes infelizes haviam ocorrido, ideias erradas haviam corrido. Sentiu-se que a existência de uma fazenda de propriedade e gestão dos animais era de alguma forma anormal e, de certa maneira, passível de causar um efeito transtornador na vizinhança. Fazendeiros demais haviam imaginado, sem a investigação devida, que em uma fazenda assim o espírito da licença e indisciplina prevaleceria. Eles estiveram nervosos a respeito dos efeitos em seus próprios animais ou até mesmo em seus empregados humanos. Mas todas as dúvidas agora se dissipavam. Hoje, ele e seus amigos haviam visitado a Fazenda dos Bichos e inspecionado cada centímetro dela com seus próprios olhos, e o que descobriram? Não apenas os métodos mais atualizados, mas uma disciplina e ordem que deveriam servir de exemplo para todos os fazendeiros em todos os lugares. Ele acreditava que tinha razão ao afirmar que os animais mais baixos da Fazenda dos Bichos trabalhavam mais e recebiam menos comida do que os outros animais do país. De fato, ele e seus visitantes companheiros haviam visto muitas características que pretendiam introduzir em suas próprias fazendas de imediato.

Ele terminaria suas observações, disse, enfatizando mais uma vez as relações amistosas que subsistiam, e deveriam subsistir, entre a Fazenda dos Bichos e os seus vizinhos. Entre porcos e seres humanos não havia, e não teria necessidade de haver, qualquer tipo de conflito de interesses. Suas batalhas e dificuldades eram uma só. O problema do trabalho não era o mesmo em todos os lugares? Aqui, pareceu que sr. Pilkington estava prestes a brindar com alguma piada sagaz cuidadosamente preparada a respeito dos presentes, mas, por um momento, ele foi tomado demais pelo próprio divertimento para conseguir falar.

Depois de um longo momento sufocado, durante o qual vários queixos arroxearam, ele conseguiu colocar para fora:

— Se vocês têm problemas com seus animais inferiores — ele disse —, nós temos nossas classes inferiores!

Este *bon mot* causou um furor na mesa, e sr. Pilkington mais uma vez parabenizou os porcos pelo baixo uso de rações, mas conseguindo longas horas de trabalho, além da ausência geral de mimos que ele havia observado na Fazenda dos Bichos.

E naquele momento, ele disse, enfim, que pediria aos presentes que se levantassem e se certificassem de que os copos estavam cheios.

— Cavalheiros — concluiu sr. Pilkington —, cavalheiros, eu lhes proponho um brinde: à prosperidade da Fazenda dos Bichos!

Houve vivas e pisadas entusiasmadas. Napoleão ficou tão grato que deixou seu assento e deu a volta na mesa para bater seu caneco no de sr. Pilkington antes de esvaziá-lo. Quando os vivas baixaram, Napoleão, que havia permanecido em pé, confessou que também tinha algumas palavras para dizer.

Como todos os discursos de Napoleão, esse foi curto e direto ao ponto. Ele também, disse, estava feliz com o fim do período de desconfiança. Por muito tempo, houvera rumores — circulados, ele tinha motivo para pensar, por algum inimigo maligno — de que havia algo subversivo e até mesmo revolucionário nos pontos de vista de si mesmo e de seus companheiros. Haviam atribuído a eles a culpa de tentar agitar rebeliões entre animais em fazendas vizinhas. Nada poderia estar mais distante da realidade! O desejo único deles, naquele momento e no passado, era de viver em paz e em relações comerciais normais com os vizinhos. A fazenda, que ele tinha a honra de controlar, acrescentou, era um empreendimento cooperativo. As escrituras, que estavam em seu poder, eram de todos os porcos conjuntamente.

Ele não acreditava, disse, que qualquer uma das velhas suspeitas ainda permanecesse, mas certas mudanças na rotina da fazenda haviam sido feitas recentemente para resultar em aumento ainda maior da confiança. Até aquele momento, os animais na fazenda haviam tido o costume bastante tolo de se dirigir um ao outro como "camarada". Isso seria suprimido. Também havia um costume muito estranho, cuja origem era desconhecida, de marchar todas as manhãs de domingo diante da caveira de um porco que estava pregada em um poste no jardim. Isso também seria suprimido, e a caveira já havia sido enterrada. Os convidados poderiam ter observado também a bandeira verde que estava no mastro. Se sim, poderiam ter observado também que a pata e o chifre branco com o qual ela havia sido marcada anteriormente agora haviam sido removidos. Seria uma bandeira verde comum daquele momento em diante.

Ele tinha apenas uma crítica a fazer com relação ao discurso excelente e de boa vizinhança de sr. Pilkington. Ao longo deste, ele havia se referido à "Fazenda dos Bichos". É claro, ele não tinha como saber — pois Napoleão estava a anunciar isso pela primeira vez — que o nome "Fazenda dos Bichos" havia sido abolido. Daquele momento em diante, a fazenda seria chamada "Fazenda do Solar" — o qual, ele acreditava, era o nome correto e original.

— Cavalheiros — concluiu Napoleão —, eu proponho o mesmo brinde de antes, mas em um formato diferente. Encham os copos até a borda. Cavalheiros, este é meu brinde: à prosperidade da Fazenda do Solar!

Houve os mesmos vivas e palmas de antes, e os canecos foram esvaziados. Mas, quando os animais do lado de fora espiaram a cena, pareceu-lhes que algo estranho estava acontecendo. O que era que havia se alterado no rosto dos porcos? Os velhos olhos embaçados de Quitéria voavam de um rosto para o outro. Alguns deles tinham cinco queixos, alguns tinham quatro, alguns tinham três. Mas o que era aquilo que parecia estar derretendo e mudando? Então, o aplauso chegou ao fim, os convidados pegaram suas cartas e retomaram a partida interrompida e os animais espreitaram para fora em silêncio.

Mas mal haviam avançado vinte metros quando pararam ante o vozerio alto que veio da casa-grande. Eles voltaram correndo e olharam novamente pela janela. Sim, uma briga violenta estava em progresso. Havia berros, batidas na mesa, olhares angulosos e cheios de suspeita, negações furiosas. A fonte do problema parecia ser que Napoleão e sr. Pilkington haviam jogado, ao mesmo tempo, um ás de espadas.

Doze vozes gritavam cheias de ódio, e todas eram parecidas. Não havia dúvida, agora, a respeito do que havia acontecido com o rosto dos porcos. As criaturas do lado de fora olharam de porco para homem, e de homem para porco, e de porco para homem de novo; porém, mais uma vez, era impossível discernir qual era qual.

grupo novo século

Compartilhando propósitos e conectando pessoas

Visite nosso site e fique por dentro dos nossos lançamentos:
www.novoseculo.com.br

<ns

- facebook/novoseculoeditora
- @novoseculoeditora
- @NovoSeculo
- novo século editora

gruponovoseculo.com.br

Edição: 1; reimpressão maio/2021
Fonte: IBM Plex Serif